Janine Boissard

Dès l'âge de vingt ans, Janine Boissard commence sa carrière d'écrivain sous le nom de Janine Oriano, son nom d'épouse. Avec *B comme Baptiste*, elle est la première Française à publier dans la collection « Série Noire ». En 1977, la grande saga *L'Esprit de famille*, publiée cette fois sous son nom de jeune fille, la fait connaître du grand public. Parallèlement, elle écrit pour la télévision. Les chambardements dans la famille, les problèmes de couple et la place de la femme moderne dans le monde du travail sont les thèmes le plus souvent abordés par Janine Boissard dans ses romans. Parmi ses plus grands succès, on retiendra la saga des *Belle-Grand-Mère* ainsi que *Une femme en blanc* (1996) suivie de *Marie-Tempête* (1998).

Mère de quatre enfants, Janine Boissard a publié une quarantaine de romans, notamment, parmi les plus récents, *Loup, y es-tu ?* (Robert Laffont, 2009), *Sois un homme, papa* (Fayard, 2010), *N'ayez pas peur, nous sommes là* (Flammarion, 2011), *Une vie en plus* (Fayard 2012), *Chuuut !* (Robert Laffont, 2013) et *Belle Arrière-Grand-Mère* (Fayard, 2014).

CHUUUT !

DU MÊME AUTEUR
CHEZ POCKET

MARIE-TEMPÊTE
CHARLOTTE ET MILLIE
HISTOIRE D'AMOUR
JE SERAI LA PRINCESSE DU CHÂTEAU
ALLEZ, FRANCE !
UN AMOUR DE DÉRAISON
PARCE QUE C'ÉTAIT ÉCRIT…
LOUP, Y ES-TU ?
N'AYEZ PAS PEUR, NOUS SOMMES LÀ
CHUUUT !

DANS LA SÉRIE MARGAUX LESPOIR

UNE FEMME EN BLANC
LA MAISON DES ENFANTS

LA CHALOUPE

LE TALISMAN
L'AVENTURINE

JANINE BOISSARD

CHUUT !

ROBERT LAFFONT

Pocket, une marque d'Univers Poche,
est un éditeur qui s'engage pour la préservation
de son environnement et qui utilise du papier fabriqué
à partir de bois provenant de forêts gérées
de manière responsable.

Le Code de la propriété intellectuelle n'autorisant, aux termes de l'article L. 122-5, 2° et 3° a, d'une part, que les « copies ou reproductions strictement réservées à l'usage privé du copiste et non destinées à une utilisation collective » et, d'autre part, que les analyses et les courtes citations dans un but d'exemple et d'illustration, « toute représentation ou reproduction intégrale ou partielle faite sans le consentement de l'auteur ou de ses ayants droit ou ayants cause est illicite » (art. L. 122-4).
Cette représentation ou reproduction, par quelque procédé que ce soit, constituerait donc une contrefaçon, sanctionnée par les articles L. 335-2 et suivants du Code de la propriété intellectuelle.

© Éditions Robert Laffont, S.A., Paris, 2013
ISBN 978-2-266-24444-2

[illegible], une [illegible] de [illegible] Perché
[illegible] une [illegible] conservation
[illegible] [illegible] [illegible] [illegible]
[illegible] [illegible] [illegible] [illegible]
[illegible]

[illegible]

© [illegible] Robert Laffont, [illegible], Paris, 20[illegible]
ISBN [illegible]

Remerciements

Merci à Gérard Allemandou, qui m'a permis d'entrevoir le chatoyant mystère du « nectar des dieux ».

À Alain Breider, grâce à qui j'ai découvert, avec émotion, l'âme du bois.

À Didier Gounet, pour m'avoir si patiemment guidée dans les arcanes des systèmes policier et judiciaire.

Et, une fois encore, merci à Kathy et à Yvan, pour une belle amitié partagée.

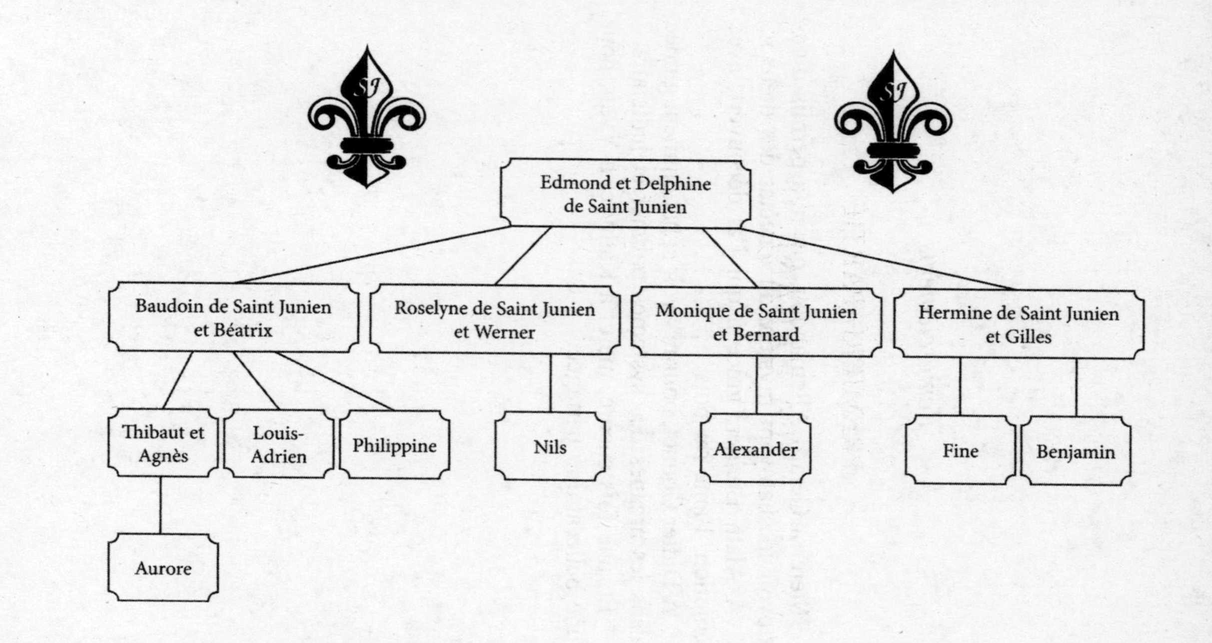
SJ
SJ
Edmond et Delphine
de Saint Junien
Baudoin de Saint Junien
et Béatrix
Roselyne de Saint Junien
et Werner
Monique de Saint Junien
et Bernard
Hermine de Saint Junien
et Gilles
Thibaut et
Agnès
Louis-
Adrien
Philippine
Nils
Alexander
Fine
Benjamin
Aurore

PREMIÈRE PARTIE

LA CABANE

1

Fine

Chut ! Quand j'étais petite et que je n'arrêtais pas de demander « pourquoi, pourquoi, pourquoi ? », c'était la réponse que je recevais le plus souvent.

« Chut ! » avec les gros yeux, « chut ! » avec des larmes dans les yeux, « chut ! » avec un doigt posé sur les lèvres comme un barreau de plus.

Toute la famille vivait au château, la maison de mon grand-père, même si ça n'était pas un vrai avec un pont-levis, des tours et des mâchicoulis d'où tu jettes de la poix brûlante et des pierres sur l'ennemi, mais un château quand même, et maman m'expliquait que grand-père était un roi, le roi du cognac, comme la ville de François Ier que l'on voyait des fenêtres du haut. Et, derrière la grille, toutes ces rangées de vigne étaient ses armées, les bouteilles d'alcool qu'on en tirait ses oriflammes, et sur chacune son nom était marqué : Edmond de Saint Junien.

De chaque côté du château qui donnait sur une grande cour avec un puits fleuri – interdit de s'asseoir sur la margelle –, grand-père avait fait ajouter des ailes qu'on appelait aussi des « dépendances », afin d'y loger ses quatre enfants lorsqu'ils seraient mariés : une pour Baudoin et Roselyne, les aînés, une pour Monique et Hermine (maman), les cadettes.

Aujourd'hui, c'était fait. L'oncle Baudoin et la tante Béatrix occupaient l'aile droite avec leurs trois enfants, Thibaut, Louis-Adrien et Philippine. La tante Monique, l'aile gauche avec son fils Alexander, et nous à côté, bien séparés, chacun chez soi, Hermine et Gilles, mes parents avec moi, Fine, et mon petit frère Benjamin.

Et là, les « pourquoi » commençaient.

— Dis, maman, pourquoi les volets de la dépendance de tante Roselyne sont toujours fermés ? Où elle est ? Pourquoi on l'a jamais vue ?

— Chut !, ma Fine, répondait maman. Ta tante Roselyne est partie très loin, dans un autre pays. Ça a fait beaucoup de chagrin à tes grands-parents, alors surtout tu ne leur en parles pas.

— Et toi aussi, maman, ça t'a fait beaucoup de chagrin ?

— Bien sûr, c'était ma grande sœur.

— Et elle reviendra quand ?

Là, c'était « chut ! » les larmes aux yeux.

— Jamais, mon cœur.

L'autre « pourquoi » concernait mon cousin Alexander, le fils de tante Monique.

— Dis, maman, pourquoi Alexander reste toujours dans son coin ? Il ne veut pas jouer avec nous, il regarde par terre en parlant charabia, et quand il crie, ça fait peur.

— Chut ! répondait maman en fixant le mur comme

si tante Monique avait l'oreille collée de l'autre côté. Tu sais bien qu'Alexander est malade.

— Et c'est quoi exactement, sa maladie ?

— C'est les nerfs. On le soigne, tout le monde prie pour qu'il guérisse. Et même s'il fait un peu peur, tu dois être gentille avec lui parce que ce n'est pas sa faute s'il est malade.

— Et pourquoi le mari de tante Monique, l'oncle Bernard, est parti ? Elle arrête pas de répéter que c'est un lâche et un irresponsable, et grand-mère lui ordonne de se calmer un peu parce que ce n'est pas en l'insultant qu'elle le ramènera.

Ici, maman poussait un gros soupir.

— Tu sais, ma Fine, il y a des papas qui ne supportent pas que leur enfant soit différent des autres, ils s'imaginent que c'est à cause d'eux, alors ils s'en vont.

— Ils divorcent ?

« Divorce », un gros mot dans la famille.

Maman répondait oui de la tête et ajoutait : « Surtout, n'en parle pas à ta tante Monique, tu sais bien que ça la met en colère parce que maintenant elle est toute seule pour s'occuper d'Alexander et ça n'est pas évident. »

Ça, je le savais : même, un jour, il m'avait arraché ma médaille de baptême parce que j'avais osé caresser Baloo, son ours-Mowgli, et maman avait dû racheter une chaînette que tante Monique avait remboursée avec ses excuses.

Et c'était à cause de sa maladie des nerfs qu'il n'y avait pas de chien au château, ni dans la maison des gardiens qui en auraient bien voulu un, mais ça aurait été dangereux pour Alexander.

« Et aussi pour le chien », se moquait Philippine, la fille de l'oncle Baudoin et de tante Béatrix, qui ne respectait rien.

On avait le même âge, à deux semaines près, et souvent on nous appelait « les jumelles ». Jumelles, cousines et meilleures amies, le top !

Elle savait beaucoup plus de choses que moi, grâce à Thibaut et à Louis-Adrien, ses grands frères, et aussi parce qu'elle ne se gênait pas pour écouter aux portes. Un jour, elle avait entendu ses parents dire que Roselyne était une « fille perdue », et là on avait été encore plus dans le cirage. Si Roselyne était perdue, pourquoi on ne la cherchait pas ? Et pourquoi maman m'avait-elle affirmé, les larmes aux yeux, qu'elle ne reviendrait jamais ?

Quant à Alexander, les parents de Philippine disaient qu'il serait mieux dans un établissement spécialisé, mais que tante Monique ne voulait pas en entendre parler parce qu'elle avait décidé de lui consacrer sa vie.

*

Je viens d'avoir quatorze ans et voilà longtemps que les « chut ! » ont dévoilé leurs secrets.

« Fille perdue », ça veut dire que tante Roselyne s'est laissé séduire par un maquereau qui l'a emmenée à l'étranger où elle vend son corps sur le trottoir. Le maquereau s'appelle Werner.

La maladie d'Alexander s'appelle l'autisme et il ne guérira jamais.

Tante Monique a tout essayé, les psys, une école spécialisée et des leçons particulières, c'est cuit.

Attention, il n'est pas idiot ! Il connaît un certain nombre de mots même s'il les mélange, et il sait plutôt bien compter, mais il vit dans une prison qu'il s'est fabriquée pour se protéger des dangers de l'extérieur. L'endroit où il se sent le mieux, c'est sa chambre : sa forteresse où tout doit être rangé dans un ordre parfait. Même tante Monique n'a pas le droit de bouger ses affaires quand elle fait le ménage. Elle profite des promenades pour aérer, mais quand il rentre, il flaire l'air nouveau, alors il se méfie et vérifie que rien n'a changé de place. Parfois, il se parle à lui-même avec des voix différentes. Il a des crises d'angoisse et des moments de violence dont on ignore la cause, c'est dans son cerveau. Maman craint que tante Monique ne finisse par devenir folle ; à mon avis et à celui de Philippine, c'est bien parti pour.

En tout cas, plus personne n'a besoin de nous dire « chut ! ». Nous avons compris qu'il s'agissait de secrets de famille qui ne devaient sous aucun prétexte passer la grille du château.

Nous sommes tous scolarisés à Cognac, mes grands cousins au lycée, où ils vont à vélomoteur, Philippine et moi au collège en troisième et Benjamin en CM2, à l'école primaire. C'est Pierre, le chauffeur de grand-père, qui nous y conduit tous les trois le matin. Nous déjeunons à la cantine et maman ou tante Béatrix vient nous chercher l'après-midi, chacune en profite pour faire quelques emplettes en ville. Contrairement aux nôtres, la plupart des mères de nos copines travaillent. Je préfère avoir la mienne à la maison, pas Philippine que tante Béatrix n'arrête pas de tanner : « Fais pas ci, fais pas ça… »

Quand on est petit, on voit ses grands-parents comme des bras qui vous enveloppent, des câlins et des histoires qui, au début, font peur, mais qui finissent toujours bien, gentils récompensés, méchants punis. Ils ont une odeur particulière dont on ne sait pas si on l'aime ou non, c'est l'âge.

Aujourd'hui, je suis fière d'être la petite-fille d'Edmond de Saint Junien, tête haute, cheveux et moustache grisonnants, costume, cravate et souliers cirés, sauf les fins de semaine – on évite de dire « week-end », on est en France ! Et de Delphine, ma grand-mère, toujours belle malgré ses soixante-six ans, collier de perles, tailleur-jupe ou pantalon, des baskets ? Vous voulez rire.

En m'appelant Fine, je porte un peu de son prénom et de l'honneur de la famille. Car on dit « fine » pour le cognac.

*

Le printemps est là, les bourgeons explosent dans la vigne et, même si on a l'habitude, on trouve ça gai : moins que la fleur qui ne tardera plus. Tout le monde vit l'œil sur le ciel, gare à l'orage de grêle qui assassinerait le travail de toute une année.

Le 24 mars, Philippine et moi avons fêté ensemble nos quatorze ans au château, pas jumelles pour rien. Méga gâteau, vingt-huit bougies qu'on a soufflées en même temps. On a reçu des sous, des bracelets, un cachemire chacune, et enfin le portable qu'on attendait depuis cent sept ans. Pour certaines choses, la famille vit encore au temps des alambics.

Cadeau supplémentaire, on a eu droit à la visite du « paradis », l'endroit où grand-père conserve son cognac le plus précieux. C'est une petite maison aux murs un peu gris à cause de la « part des anges », l'évaporation de notre « nectar des dieux ». Paradis, part des anges, nectar des dieux, inutile d'en dire plus pour décrire l'ambiance.

Philippine et moi étions les seules à être invitées et j'étais un peu intimidée. Sur une table, il y avait des flacons emplis de liquide de différentes couleurs et des verres tulipe pour la dégustation. Tout autour, les barriques et quelques dames-jeannes. Grand-père nous en a versé un fond de verre et nous avons eu droit à une petite gorgée, qu'on appelle une « prise ». De toute façon, c'est le cognac qui te prend, rien qu'à le respirer, tu as la tête qui tourne.

— Vous voici adoubées, mes chevalières, a-t-il annoncé en posant la main sur notre épaule, et même Philippine a été impressionnée.

*

On s'étonne parfois de ne pas sentir venir les événements qui vont bouleverser notre vie, la changer pour toujours. Il me semble qu'au fond de nous un signal doit nous en avertir, comme pour les animaux qui fuient avant le naufrage ou le tremblement de terre, mais nous sommes trop occupés pour le percevoir.

C'est le week-end de Pâques, trois jours de congé, dimanche, chasse aux œufs en chocolat dans le jardin, lundi, virée à l'île d'Oléron, même si la mer est encore trop froide pour s'y baigner.

Nous n'irons pas à l'île d'Oléron, les œufs de Pâques auront un goût particulier et les « chut ! » douloureux seront remplacés par des « Attention ! » pleins de menaces.

2

Fine

Ce matin, samedi, alors que grand-père prenait son petit déjeuner, il a reçu un coup de téléphone et il est parti, sans même terminer sa tartine, avec Pierre son chauffeur, direction inconnue.

Il a appelé de la voiture M. Fénec, le maître de chai, le seigneur des arômes, qui assemble les eaux-de-vie, un métier que l'on pratique de père en fils et qu'il faut vingt ans pour apprendre, et l'oncle Baudoin, qui s'occupe du commercial, pour leur demander de recevoir cet après-midi à sa place les Chinois qui s'intéressent à sa production, un rendez-vous très important pour la Maison.

À treize heures, grand-mère a convoqué ses enfants : Baudoin et tante Béatrix, maman et papa, revenu exprès de son bureau d'expert-comptable en ville, et tante Monique qui a confié Alexander à Jeanne, la cuisinière qu'on appelle « Dame Jeanne » pour rigoler vu que, en plus de celui de la grosse bouteille qui contient l'alcool, c'était le nom des gabares, les bateaux qui, autrefois, transportaient les barriques sur la Charente. Alexander, qui sent mieux que quiconque l'électricité dans l'air, était hyper nerveux, il cherchait à se cacher dans les poils de son ours-Mowgli qu'il ne quitte jamais malgré ses quinze ans.

Aucun cousin, même Thibaut qui, lui, a vingt-deux ans et travaille à la promotion du cognac avec son père, n'avait été accepté à la réunion, ce qui l'a rendu fou furieux. En représailles, on a tous pique-niqué autour du puits, certains assis sur la margelle interdite : œufs durs, chips, saucisson, fromage, Coca et jus de fruits ; mais comme les voilages étaient tirés sur les fenêtres du salon et de la salle à manger, on ne voyait que des ombres, et parfois l'une se levait et arpentait la pièce, apparemment, ça chauffait.

Philippine et moi, on était plutôt excitées, Louis-Adrien se demandait s'il irait tout de même à son rendez-vous de golf, Benjamin, son tee-shirt plein de débris de chips et de coquilles d'œuf, n'arrêtait pas de me harceler : « Qu'est-ce qui se passe, Fine ? C'est grave ? » Comme si j'étais devin. Encore un mot qu'on n'utilise jamais au féminin, ce qui horripile Philippine qui dit que les femmes devinent mieux que les hommes grâce à leur instinct. Moi, je pense que les hommes devinent aussi, mais qu'ils sont moins bavards.

Papa et l'oncle Baudoin sont sortis les premiers. Papa nous a souri : « Votre maman va tout vous expliquer », et il a filé à son bureau. L'oncle Baudoin n'a pas souri, il est parti s'occuper des Chinois sans demander à Thibaut de l'accompagner. Puis tante Béatrix et maman ont descendu les marches du perron en se parlant avec animation, elles nous ont fait signe et chacun est rentré chez soi.

Maman avait les yeux rouges : c'était grave. On l'a

suivie dans le salon où elle s'est assise dans le canapé, Benjamin pelotonné contre elle, moi en face du fauteuil. Elle s'est éclairci la gorge. « Voilà ! Figurez-vous que vous avez un cousin de plus, a-t-elle annoncé avec une fausse voix gaie. Il s'appelle Nils, il a dix-sept ans et c'est le fils de votre tante Roselyne et de Werner. »

Werner, le maquereau, le nom interdit.

Elle s'est interrompue un petit moment, comme si elle avait du mal à continuer, Benjamin m'a jeté un regard affolé, j'ai fait « chut ! » avec mes yeux, et maman a repris avec difficulté.

Tante Roselyne et Werner vivaient avec Nils à Amsterdam, aux Pays-Bas. Werner était mort depuis quelques années, Roselyne venait de disparaître elle aussi, ce qui faisait que Nils se retrouvait sans famille. Quand on est sans famille, on est seul au monde, alors il avait appelé grand-père ce matin pour qu'il vienne le chercher.

Là, maman a relevé la tête et elle nous a dit que nous avions des grands-parents exceptionnels. Pas une seconde l'idée ne leur était venue de ne pas répondre à l'appel. On ne choisit pas de naître, on ne choisit pas ses parents, ni son pays, ni sa couleur de peau, Nils était là, c'était leur petit-fils, point ! Quant à nous, il faudrait oublier tout ce que nous avions entendu dire sur sa mère et l'accueillir comme un cousin germain à part entière. Nous étions six, désormais nous serions sept.

Maman a ajouté qu'il ne faudrait pas lui poser de questions sur son passé, mais se montrer attentifs si le désir de se confier venait à Nils.

« Nils comme Nils Holgersson ? » a demandé Benjamin, et maman a incliné la tête avec un début de sourire.

Le livre-culte de grand-mère, l'histoire d'un petit

garçon qui vole sur le dos d'un jars parmi les oies sauvages, une histoire qu'on connaissait tous par cœur.

« Et à quelle heure il va arriver ? » a demandé Benjamin tout content.

Amsterdam était à près de mille kilomètres de Cognac ; certainement pas avant tard dans la soirée.

*

Le premier « Attention ! » n'a pas tardé. C'est tante Béatrix qui l'a prononcé en apprenant la nouvelle à ses enfants, et ça montrait toute sa différence de cœur avec maman.

— Attention ! Ce Nils, qu'est-ce que nous en connaissons ? Qui fréquentait-il à Amsterdam ? Dix-sept ans, presque un homme… Quelles études a-t-il faites ? Et avec un père comme le sien…

— Et qu'est-ce qui nous prouve que c'est vraiment le fils de Roselyne ? a renchéri Thibaut. Grand-père aurait mieux fait de se renseigner avant de courir le chercher, ça n'était pas à huit jours près.

Quant à Louis-Adrien, il n'a rien trouvé de mieux que de se dandiner tout autour du salon en agitant les bras et en poussant des cris d'oie sauvage comme dans *Nils Holgersson*.

Philippine est sortie en claquant la porte. Elle, ça lui plaisait beaucoup d'avoir un cousin de plus.

On a passé le reste de la journée à l'imaginer : grand ou petit ? beau ou laid ? ressemblant à qui ? Comme nous n'avions jamais vu ni Roselyne ni Werner, on n'avait aucune piste, mais on penchait plutôt pour « grand et beau ».

Et quelle langue parlait-il ? Sur l'ordinateur de l'oncle Baudoin, Philippine a trouvé qu'aux Pays-Bas, où se trouve Amsterdam, la langue était le néerlandais, mais qu'on y parlait aussi français et anglais. Ainsi que le frison. Et quand elle a dit : « Brrr, ça me fait frisonner », on n'a pas pu s'empêcher de rire comme des oies.

Et où Nils allait-il habiter ? Au château ou dans l'aile de tante Roselyne, qui ne l'avait jamais occupée ? La même aile que l'oncle Baudoin qui, compte tenu de sa nombreuse famille, aurait bien voulu la récupérer, mais quand il en parlait à grand-père, grand-père répondait sèchement : « Pas question. »

« Comme s'il se doutait qu'un nouveau petit-fils allait lui tomber du ciel... », ai-je remarqué, et Philippine qui me trouve fleur bleue a roulé des yeux.

On a décidé d'y faire un tour. Toutes les clés du château se trouvent dans le placard de l'office, près de la salle à manger. J'ai fait le guet pendant que Philippine récupérait celles de la dépendance de tante Roselyne et, ni vu ni connu, on est entrées par la porte de derrière.

Il n'y avait pas de lumière, ça sentait le triste et le renfermé, aucun meuble sauf une table en bois à moitié cassée dont l'oncle Baudoin s'était débarrassé en douce dans la grande salle du bas. Ni lits ni rien dans les chambres, à l'étage, pas d'eau aux robinets, comme si le temps s'était arrêté le jour où Roselyne était partie.

« Et si on ouvrait les volets ? a proposé Philippine, j'en connais qui feront une drôle de gueule. »

J'ai dit non, pas d'accord, moi, je suis plutôt contre les embrouilles. Elle a haussé les épaules et, dans la poussière qui recouvrait la table de son père, du bout du doigt, elle a tracé un gros NILS.

On aurait bien voulu lui offrir un cadeau de bienvenue, mais comme on ne connaissait pas ses goûts, on a préféré attendre.

*

Il était plus de onze heures du soir quand Pierre a arrêté la voiture devant le château. Toutes les lumières de la cour étaient allumées et, sauf Alexander qui dormait, on était tous là.

Grand-père est sorti sans attendre que Pierre vienne ouvrir sa portière, comme d'habitude, et c'est lui qui est allé ouvrir celle de Nils. Il lui a tendu la main et Nils est apparu.

Il était grand, fin, blond avec des yeux clairs. Maman s'est serrée contre papa et elle a murmuré : « Mon Dieu, Roselyne… »

Grand-mère descendait majestueusement les marches du perron. Elle s'était faite belle pour accueillir Nils, elle est allée jusqu'à lui sur ses hauts talons, tout le monde retenait son souffle, grand-père s'est écarté, elle a regardé Nils longtemps sans rien dire et, quand elle lui a ouvert les bras et qu'elle l'a embrassé, j'ai compris le mot « exceptionnel » employé par maman, car grand-mère n'est pas le genre à embrasser facilement, y compris la famille, et certainement pas quelqu'un dont, jusqu'à ce matin, elle ignorait l'existence.

Même Pierre, qui avait sorti le sac de Nils du coffre, un gros sac en toile kaki, avait l'air fier de sa patronne.

Grand-père s'est tourné vers nous.

« Voici Nils, votre cousin, qui désormais vivra ici.

Merci d'avoir tous veillé pour l'accueillir. Mais la journée a été longue et fertile en émotions, aussi, si vous le voulez bien, vous patienterez jusqu'à demain pour faire plus ample connaissance. »

Grand-mère et lui ont entouré Nils et ils ont commencé à gravir les marches du perron, suivis par Pierre qui portait le sac kaki. J'ai regardé Philippine, elle a fait oui du menton, et toutes les deux ensemble, on a crié : « Bonne nuit, Nils, à demain ! »

Et lorsqu'il s'est retourné et qu'il nous a souri, nous avons compris que nous venions de lui offrir le plus beau des cadeaux.

3

Fine

Le printemps a changé de couleur. Il a pris celle des sourires de Nils, et quand il lui arrivait de rire, alors c'était l'été avant l'heure.

Ces nuages qui, parfois, assombrissaient son regard, nous parlaient de sa mère qu'il avait laissée là-bas. « Là-bas », c'était comme ça qu'il parlait d'Amsterdam, que nous avions cherché, Philippine et moi, sur la mappemonde de notre livre de géo. Pas facile à trouver, la capitale des Pays-Bas, un minuscule pays ; on aurait pu en mettre dix dans la France.

— Et si on l'entourait d'un rond pour le repérer tout de suite, avais-je proposé.

— Pourquoi pas carrément le barrer d'une croix et on n'en parle plus ?

Barrer les Pays-Bas et Amsterdam d'une croix, ça aurait été comme rayer tante Roselyne de la carte du monde, alors, impossible !

— Eh oui, la vie est parfois compliquée, ma petite, avait conclu Philippine avec un rire et, là, elle m'avait semblé bien plus vieille que moi.

Nils disait que « là-bas » il rêvait d'un beau château blanc, d'une grande famille, de ciel bleu, de vent doux, d'un petit bois où il construirait sa cabane, d'un fleuve tranquille serpentant entre les arbres, de barques légères, et que, en se réveillant chaque matin, maintenant il avait besoin de se pincer pour s'assurer que son rêve était devenu réalité.

Alors, Philippine et moi, on ne se privait pas de le pincer, mais si, mais oui, ouvre tes yeux, Nils, tu es là, tu ne rêves pas, tout ça, tu l'as.

Il n'y avait que la cabane dans le petit bois qui manquait au programme, et ça nous avait donné une idée, chut !

Son grand plaisir était de feuilleter avec grand-mère les vieux albums de photos, des photos où on la voyait poser, en grande tenue, avec grand-père, leurs quatre enfants en rang devant eux. Et, bien sûr, parmi les quatre, c'était la petite aux cheveux blonds comme les siens, aux yeux du même bleu, que Nils cherchait. Une fois, il avait soupiré : « Comme elle avait l'air sage », et grand-mère avait eu cette réponse formidable : « C'était une vraie tête de mule, mais vois-tu, il y a quelque chose qu'elle a parfaitement réussi, c'est toi. »

*

En avril, pendant les vacances de Pâques – ça tombait bien –, on a fêté les dix-huit ans de Nils au château. Comme le sac kaki qu'il avait pour tout bagage ne pouvait pas contenir le Pérou, ça n'avait pas été difficile de trouver des idées. Il s'est retrouvé habillé classe de la tête aux pieds. Philippine et moi, nous nous sommes réunies pour lui donner une montre lumineuse qu'il n'aurait qu'à regarder la nuit pour s'assurer qu'il ne rêvait pas, mais son plus beau cadeau, c'est grand-père qui le lui a offert avec un « permis de construire » une cabane dans le petit bois derrière le château.

« À dix-huit ans, on a passé l'âge des cabanes », clamait le sourire dédaigneux de Thibaut.

Ça n'a pas échappé à grand-père qui a fait la remarque, sans le regarder particulièrement, qu'il n'est jamais trop tard pour réaliser un rêve d'enfant et que sinon il vous poursuit toute la vie. Il a ajouté en souriant à Nils : « Aurai-je l'honneur d'être invité ? »

Après le déjeuner, on est allés choisir l'endroit. M. Alvarez, le gardien, qui travaille dans le bâtiment, avait été mis dans le coup. Sous une bâche, il avait préparé des piles et des piles de rondins pour les murs et de grandes planches pour le toit. Et, sauf Thibaut, évidemment, et Louis-Adrien qui a préféré aller jouer au golf, on s'est tous attelés à la tâche sur-le-champ, même papa, et en huit jours le chantier était bouclé. Inutile de chercher un nom : « La Cabane », comme dans le rêve de Nils.

Il y avait deux « pièces », si l'on peut dire. Près de la porte, la pièce pique-nique, avec une table de camping, des tabourets et, au mur, un garde-manger. Et la pièce salon, au fond, meublée par grand-mère, de gros coussins de cuir rouge qui en avaient vu d'autres et des vieux tapis sur le sol, qu'on roulerait l'hiver venu. Dans la pièce pique-nique, Nils avait creusé un trou avec ce qu'il fallait pour cuire des patates sous la cendre car, sans patates sous la cendre, une cabane ne mérite pas son nom. Comme il n'y avait pas de fenêtres, juste des trous d'aération, on n'y voyait pas trop clair, mais c'est aussi le but d'une cabane, le secret, et, à l'entrée, une lampe torche était suspendue, sans compter la provision de bougies plates entourées de papier d'argent.

*

La seconde qui a crié « Attention ! », c'est tante Monique, et ça n'a étonné personne. Alexander allait avoir seize ans et, plus il grandissait, plus elle avait peur pour lui. Peur qu'il ne s'échappe du château, même si la grille ne s'ouvrait qu'avec une commande et que la maison des gardiens était juste à côté, avec Mme Alvarez qui veillait en surveillant Maria, sa fille de quatre ans qui lui en faisait voir de toutes les couleurs. Peur que le jardinier, ou l'un des ouvriers qui exécutaient régulièrement des travaux au château, ne profite de son handicap pour l'attaquer.

Et peur de Nils.

« Attention ! Avec cette idée de pommes de terre sous la cendre, il va mettre le feu à sa cabane et au petit bois. Pourquoi pas au château ? »

Elle prononçait plus bas un autre « Attention ! ». Et si la maladie qui avait emporté Roselyne, Nils l'avait attrapée lui aussi et qu'il contaminait le reste de la famille ?

Quand maman avait entendu ça, elle s'était mise en colère : Nils était né depuis longtemps lorsque Roselyne avait contracté le sida, il ne pouvait donc pas en être porteur. Tante Monique s'était tue, un peu honteuse quand même. Parce qu'elle aurait plutôt dû se réjouir de l'arrivée de Nils, qui avait accompli un miracle. Un jour où elle se promenait avec Alexander, il les avait invités à visiter la cabane et Alexander, qui ne se sentait en sécurité que dans sa chambre, s'y était plu. Depuis, ils y venaient souvent, et le miracle était qu'une fois il y avait laissé Baloo, comme s'il s'était trouvé là une seconde forteresse. Alors, au lieu de prendre des airs apeurés, tante Monique aurait mieux fait de le remercier.

« Attention ! », continuaient à répéter l'oncle Baudoin et la tante Béatrix, dont maman disait, quand elle l'énervait trop, que le *x* au bout de son prénom et ses lèvres pincées comme les cordons d'une bourse reflétaient sa personnalité. Attention à ce que Nils n'embobine pas son grand-père ! Depuis son arrivée, il n'y en a que pour lui. Il l'emmène partout, et ne s'est-il pas mis en tête de lui expliquer la fabrication du cognac, comme s'il ne fallait pas être né dedans pour comprendre ? Le comble avait été quand grand-père avait accompagné Nils au « paradis » et qu'en sortant il avait déclaré fièrement que celui-ci avait un « bon nez », le plus beau compliment que l'on puisse faire à un amateur de cognac : savoir trier, rien qu'en le respirant, ses différentes saveurs.

L'oncle Baudoin craignait-il que grand-père veuille faire entrer Nils dans l'entreprise ? Qu'il concurrence Thibaut ? Prenne un jour la place de Louis-Adrien qui, pour l'instant, passait plus de temps au golf et à frimer qu'à étudier ? Sans parler de la dépendance de tante Roselyne sur laquelle il ne pouvait plus compter pour s'agrandir.

Quand maman, indignée, racontait tout ça à papa, il ramenait la bonne humeur.

« Réjouissez-vous, riche héritière, d'avoir épousé un

manant et modeste expert-comptable, Gilles Bréval, qui n'a que faire des joutes meurtrières entre futurs héritiers. »

Et maman ne disait pas non.

Il me semble que Nils planait sur tout ça, peu lui importait les regards noirs et les sourcils froncés, il était tout simplement heureux. Philippine disait qu'à Amsterdam, avec le métier puis la maladie de sa mère, il avait dû être rejeté par tous, sauf par Mado, qui là-bas veillait sur lui et dont il parlait parfois avec un frémissement gris-bleu dans la voix. Que c'était pour cette raison qu'il accueillait avec joie Alexander dans la cabane, même s'il cassait l'ambiance, et aussi Maria, la fille de M. et Mme Alvarez, le pot de glu, le moulin à paroles malgré ses quatre ans, qui ne se gênait pas pour chaparder dans le garde-manger, plutôt « garde-sucreries ».

Nils disait qu'elle était pour lui comme la petite sœur qu'il n'avait jamais eue. Il la juchait sur ses épaules et galopait autour de la cour en hennissant, et Maria s'accrochait à ses cheveux en hurlant : « Arrête, arrête, j'ai peur ! », avant d'en redemander.

*

C'est arrivé un vendredi, je m'en souviens parce que c'était le premier jour de l'été, bientôt les vacances, il faisait une chaleur de plomb, et on pensait beaucoup plus à la piscine, chez des amis, où nous étions invités le lendemain, qu'aux bulletins scolaires.

À ce propos, j'étais toute contente, c'est maman qui viendrait nous chercher cet après-midi et nous ferions un tour du côté des rayons de maillots de bain pour m'en acheter un neuf. À quatorze ans, je prenais des formes, moins que Philippine qui faisait tout plus vite et plus fort que moi, mais quand même. Et après, on irait déguster des glaces sur la place François-Ier.

À cinq heures, mauvaise surprise, c'est Pierre qui nous attendait, Benjamin faisait la gueule à l'arrière. Pierre a dit : « Montez vite », et alors que d'habitude il est très gai, il avait un visage d'enterrement.

— Pourquoi c'est pas maman qui est venue, qu'est-ce qui se passe ? ai-je demandé.

Il a poussé un gros soupir.

— Je n'ai rien le droit de dire, sinon que vous devez rentrer le plus vite possible chez vous sans parler à personne.

Et malgré toutes nos questions, il n'a plus prononcé un mot jusqu'à ce qu'on soit arrivés.

Devant la grille fermée du château, il y avait une meute de journalistes, des motos, des micros, des appareils photo, des caméras. Il y avait aussi une voiture marquée France 3, et deux fourgons bleus de la gendarmerie.

Dès qu'on a eu mis pied à terre, les journalistes se sont précipités, les gendarmes les ont repoussés, Pierre a entrouvert la petite porte sur le côté et on est passés chacun notre tour avant de courir chez nous comme il nous l'avait recommandé.

Papa était là. Il a refermé le verrou de la porte et il nous a emmenés au salon où, dans le canapé, maman pleurait. Il l'a prise dans ses bras. Il s'est éclairci la voix et il a dit : « Il est arrivé un grand malheur. »

Maria, la petite fille des gardiens, n'était plus parmi

nous. Elle s'était échappée pendant sa sieste, et sa mère, tante Monique et tante Béatrix, qui la cherchaient, l'avaient retrouvée inconsciente dans la cabane. Les pompiers n'avaient pas réussi à la réanimer.

Benjamin a fondu en larmes, moi, je n'arrivais pas à y croire. Morte, Maria ? Impossible. D'ailleurs, papa n'avait pas prononcé le mot.

« Il s'agit d'une agression », a ajouté papa plus bas.

De l'autre côté du mur, on a entendu tante Monique hurler : « Il l'a violée, il l'a violée, il l'a violée ! » Et maman, qui ne crie jamais, a crié à papa : « Fais-la taire, je t'en supplie, je ne la supporte plus ! »

Papa a tapé fort contre le mur avec son poing en ordonnant : « Arrêtez ! », et tante Monique s'est tue. Je ne sais pas pourquoi, j'avais envie de me sauver très loin, surtout ne pas entendre ce qui allait suivre. Il nous a regardés, Benjamin et moi, avec des yeux pleins de vertige, et il a dit : « Le coupable a été pris sur le fait, les gendarmes l'ont emmené en prison. C'est Nils. »

4

Nils

Lorsque Nils se souvenait de son enfance, c'était d'abord la mer qu'il voyait, les flots sombres, malodorants, qui bousculaient les lourds bateaux alignés contre les quais, les câbles comme des serpents, les cordes, les grappins, les grues, autour desquels s'affairaient les dockers dont les rires trop forts l'effrayaient. La mer comme les murs d'une prison, les sirènes au loin comme ses gardiens, et il la détestait comme il détestait la chanson de Jacques Brel, *Amsterdam*, le nom de la ville où il vivait.

Heureusement, il y avait sa maman qui le serrait contre sa poitrine : n'aie pas peur, Nils, personne ne te fera de mal, je ne laisserai personne te toucher, jamais ! « Personne », c'était Werner, l'ogre barbu qui sentait la bière et qui menaçait de l'emmener si sa maman n'était pas sage. Et comme sa maman l'appelait « l'autre » dès qu'il avait le dos tourné, Nils n'avait jamais réussi à l'appeler « papa ».

Werner habitait en ville dans un grand hôtel où Nils n'avait pas le droit d'aller. Sa mère et lui dans un petit hôtel gris près du port, Chez Mado, la même chambre, avec un lavabo, les toilettes sur le palier, mais au moins ils étaient tranquilles et Mado s'occupait de lui quand Roselyne, ou Rosy, ou Lyne, c'est comme ça que l'appelaient ses clients, allait travailler, toujours la nuit, ce qui leur faisait une vie à l'envers : quand sa mère travaillait, Nils dormait, et quand il était éveillé, c'était elle qui essayait de récupérer, et Mado disait qu'elle était contente d'avoir quitté le métier.

Il s'appelait Nils à cause d'un livre : *Le Merveilleux Voyage de Nils Holgersson à travers la Suède*, que sa maman adorait quand elle était petite et qu'elle vivait en France. L'histoire d'un minuscule garçon qui voyageait sur le dos d'un jars parmi les oies sauvages. Elle la lui avait si souvent racontée qu'il la connaissait par cœur, et quand il avait su lire, elle lui avait offert le livre en français.

Le soir, avant de s'endormir, Nils imaginait qu'il montait sur le dos du jars Martin et qu'il s'envolait avec les oies sauvages. Le voyage se terminait toujours au même endroit, un grand château blanc dans un parc, celui où sa maman était née et où elle avait grandi sans soucis, avant que Werner ne vienne la chercher.

Elle en avait une photo qu'elle cachait dans un tiroir, sous ses affaires, pour que Werner ne la trouve pas. S'il la trouvait, il la déchirerait en mille morceaux pour la punir de l'avoir gardée. La photo aussi, Nils la connaissait par cœur tellement Roselyne la lui avait montrée.

« Regarde, mon Nils, là, tout près du château, ce beau monsieur, c'est ton grand-père, Edmond. À côté de lui, ta grand-mère, Delphine, et, devant eux, c'est leurs quatre enfants : Baudoin, Monique, Hermine et moi. »

Celle que Nils regardait le plus, c'était bien sûr Roselyne. Elle avait dix ans, une longue natte blonde, des yeux bleus, une jolie robe avec un volant, c'était l'été, c'était plus souvent l'été en France qu'ici, et Mado lui avait offert une loupe pour qu'il puisse mieux voir les détails.

Il avait aussi étudié le château, compté les marches du perron, huit, les fenêtres autour de la porte d'entrée, six, trois de chaque côté, très hautes, avec des rideaux, et encore six au premier étage, plus petites mais belles quand même, et, tout en haut, sur le toit rose, quatre lucarnes qui avançaient, qu'on appelait drôlement des « chiens-assis », comme si elles montaient la garde, là où logeaient la cuisinière, les femmes de chambre, la gouvernante. Enfin, derrière le château, comme une chevelure ébouriffée, on voyait les arbres du petit bois où les enfants organisaient des parties de cache-cache et des pique-niques clandestins.

D'abord, Nils s'était amusé à dessiner le château pour en avoir son exemplaire à lui, puis il s'était attelé à sa construction avec les bouts de bois, qui ne manquaient pas sur le port, mais pour les marches arrondies du perron et les fenêtres aux rideaux, il se demandait s'il y parviendrait jamais.

*

Il avait six ans lorsque des « grands », à l'école, lui avaient appris quel métier exerçait sa mère. Il ne s'était jamais interrogé, faisant confiance à Mado, qui disait que Roselyne travaillait comme hôtesse au bar du grand hôtel où logeait Werner, un bar ouvert seulement la nuit, où les clients venaient se distraire et prendre un peu de bon temps.

« Ah ! ah ! le bon temps, c'est dans son lit qu'ils le prennent, les clients, en baisant avec elle », avaient-ils ricané.

Nils avait refusé de les croire, il était rentré chez lui en courant, et quand Mado s'était mise en colère contre les salopards qui salissaient l'image d'une mère, il avait compris que les salopards avaient dit vrai. Elle l'avait pris sur ses genoux et elle lui avait expliqué que c'était Werner qui l'obligeait à faire ce métier-là. D'abord, elle avait refusé, mais il l'avait menacée de lui enlever Nils, alors elle s'était inclinée. « Tu ne dois pas lui en vouloir, elle l'a fait pour te protéger. »

Nils avait su qu'Amsterdam était bien une prison où Werner avait enfermé sa maman et, à partir de ce jour-là, il n'avait plus eu d'amis à l'école – même ceux qui auraient été d'accord, c'est lui qui n'en voulait plus.

Il avait douze ans lorsque Werner était mort. Une nuit où il avait trop bu, il avait glissé sur les pavés du port et il était tombé à l'eau entre deux bateaux. Quand on l'avait repêché, c'était trop tard, et ni Roselyne ni Nils n'avaient eu honte de se sentir libérés.

À partir de ce jour-là, dix fois, vingt fois, cent fois, Nils avait demandé à sa mère pourquoi ils ne retournaient pas en France, vivre dans le château dont la photo était désormais affichée au mur de leur chambre.

Dix fois, vingt fois, cent fois, Roselyne lui avait répondu que c'était impossible : ses parents avaient tout fait pour l'empêcher de suivre Werner, elle s'était enfuie sans leur dire où elle allait, et quand elle avait compris son erreur, c'était trop tard, elle avait trop honte. Et puis ils ne savaient même pas que Nils était né, elle avait préféré disparaître.

— Ils ne t'ont pas cherchée ?

— Werner s'est arrangé pour traficoter mon identité. Et elle ajoutait, désespérée : Regarde-moi, Nils, regarde ce que je suis devenue : le déshonneur de la famille. Si je rentre, ils me claqueront la porte au nez.

Et Nils se penchait sur la photo, il regardait ses grands-parents droits et fiers, la petite Roselyne à natte blonde devant eux, il les interrogeait, mais jamais ils ne répondaient.

*

Puis il a seize ans et Roselyne a attrapé la maladie dont tous parlent avec horreur. Elle a été chassée du bar. Mado a réussi à la faire admettre à l'hôpital. Nils a quitté l'école ; il travaille sur le port à charger et décharger les bateaux. Il a cessé de rêver au château blanc.

C'est sa mère qui va le lui rappeler. Tous le savent, sa fin est proche, elle-même la souhaite. Et, pour partir en paix, elle exige de Nils un serment : après l'enterrement, pas avant, elle ne veut pas qu'Edmond la voie telle qu'elle est devenue, il appellera son grand-père en France et lui demandera de venir le chercher.

Cette fois, c'est Nils qui se rebelle. Il ne veut plus partir, il veut rester avec Mado, là où il est né, près de sa mère. De toute façon, s'il appelle son grand-père, celui-ci lui raccrochera au nez : comment le croirait-il ? Il ignore son existence.

Alors Roselyne a un pauvre sourire, un reste de lumière dans les yeux. « Tu n'auras qu'à lui dire : "C'est Finduvet qui te le demande", il viendra. »

Finduvet, la jolie petite oie sauvage, amie de Martin le jars, ainsi que son père s'amusait à la surnommer, leur mot de passe, leur secret.

Nils a promis. Roselyne lui a remis le précieux extrait de naissance qui permettrait à son grand-père d'accomplir les démarches nécessaires afin qu'il puisse porter son véritable nom. Elle lui a donné l'adresse du château que, jusque-là, elle s'était refusée à lui révéler. Bien sûr, le numéro de téléphone avait dû changer, Nils le trouverait sur Internet. À Cognac, tout le monde devait connaître Edmond de Saint Junien.

Roselyne est partie un beau jour de printemps. À l'office religieux, seuls assistaient Nils, Mado et une poignée de voisins. Le prêtre a prononcé quelques mots en néerlandais.

Le lendemain de l'enterrement, tôt comme recommandé par sa mère, Nils a appelé son grand-père. Il l'a eu directement sur l'ancien numéro et cette voix forte, chaleureuse, c'est drôle, il lui a semblé la reconnaître.

Il a appris à Edmond de Saint Junien qu'il était le fils de Roselyne qui venait de mourir à Amsterdam, qu'il s'appelait Nils et qu'il avait dix-sept ans. Puis, sans attendre, même s'il le trouvait un peu ridicule, il a prononcé le mot de passe : « Finduvet ».

Il y a eu un silence durant lequel, soudain, il a eu très peur.

« Donne-moi ton adresse, je pars tout de suite », a répondu son grand-père.

Nils s'est rendu au port où il a annoncé qu'il arrêtait le travail et reçu sa paye. Avec celle-ci, il s'est acheté un jean, un pull et des baskets, ensuite, il est rentré à l'hôtel où il a fait son sac. Il n'a pas oublié d'y mettre *Nils Holgersson* et quelques photos de Roselyne avant sa maladie, quand elle ressemblait encore un peu, si peu, à la petite fille de la photo qu'il a décrochée du mur, précieusement enveloppée dans un plastique, et glissée sous son pull neuf, à plat contre son cœur.

Il a déjeuné avec Mado qui pleurait et riait à la fois, heureuse pour lui, triste de le perdre. Il a promis de lui écrire et, pourquoi pas, de l'inviter un jour au château. Puis il a attendu.

Vers deux heures de l'après-midi, une belle voiture noire, conduite par un chauffeur, s'est arrêtée devant l'hôtel. Le chauffeur en est sorti et il est allé ouvrir la portière d'Edmond de Saint Junien. Comme pour la voix au téléphone, même s'il était beaucoup plus âgé que sur la photo, il a semblé à Nils qu'il reconnaissait son grand-père. Celui-ci s'est avancé sans hâte vers lui, qui tentait de cacher son angoisse, il l'a regardé, il a murmuré : « Comme tu lui ressembles », et il lui a ouvert ses bras.

Avant de reprendre la route, Edmond a tenu à aller déposer un bouquet sur la tombe de Roselyne. Il a remis une grosse enveloppe à Mado afin qu'elle la fleurisse régulièrement et pour la remercier de ce qu'elle avait fait pour sa fille et pour son petit-fils.

Il a dit « mon petit-fils ».

La nouvelle du départ de Nils s'était répandue ; attiré par la belle voiture, tout le quartier était là pour assister aux adieux de Nils à Mado, devant l'hôtel. Edmond de Saint Junien lui a baisé la main comme à une dame, et lorsque le chauffeur a démarré, après avoir remis sa casquette, cette fois, Nils a su qu'il s'envolait pour de bon.

5

Nils

Tout est là. Il reconnaît tout. Inutile de compter les marches du perron, le nombre de fenêtres, les chiens-assis sur le toit de tuiles rousses.

La différence avec la photo est qu'il fait nuit, que les fenêtres sont éclairées, et aussi la cour, le puits fleuri, et devant le château il y a tant de monde, de visages inconnus, que Nils s'y perd. Si son grand-père ne venait pas lui tendre la main pour qu'il sorte de la voiture, il n'est pas certain qu'il oserait.

Pourtant, celui-ci l'a averti durant le voyage : la famille s'est agrandie depuis le départ de Roselyne. « Aujourd'hui, Baudoin a trois enfants, Monique un, Hermine deux, cela te fait six cousins, Nils, six cousins germains. » Mais il ne s'attendait pas à les voir tous là, il est plus de onze heures quand même, ont-ils veillé pour l'accueillir ? Il pense confusément qu'il a bien fait de s'habiller de neuf.

Cette femme aux cheveux argentés, au visage doux, qui descend les marches du perron, c'est Delphine, sa grand-mère. Elle porte un collier de perles, ces perles qu'il a tenté en vain de compter sur la photo avec la loupe de Mado, mais comment y parvenir avec celles cachées sous le col ? Lui permettra-t-elle de le faire ? Elle vient sans hâte vers lui, son grand-père s'écarte un peu, pas un bruit, pas une voix, un frémissement d'attente, et, dans les yeux bleus plongés dans les siens, des larmes ? Alors c'est Nils qui murmure : « Grand-mère ? », elle lui ouvre ses bras et lorsqu'elle l'embrasse, oui, ce sont bien des larmes qu'il sent sur ses joues.

Puis son grand-père parle, il dit « Merci », il annonce que Nils vivra désormais ici. Nils voudrait pouvoir retenir chaque mot, les graver en lui, mais sa tête tourne, trop de fatigue, d'émotion, c'est comme s'il n'arrivait pas à se poser, déjà ses grands-parents l'entraînent vers le perron, et alors qu'il gravit les marches, deux voix claires s'élèvent et il lui semble atterrir, atterrir enfin :

« Bonne nuit, Nils, à demain ! »

Il se retourne : deux filles, deux cousines, l'une brune, l'autre blonde, lui sourient en agitant la main. Et d'un coup, tous les enfants qui se sont moqués de lui, tous les amis qu'il n'a pas eus, toutes les larmes qu'il a retenues, sont effacés.

*

« Viens, tu dois avoir soif », a remarqué sa grand-mère.

Elle l'a entraîné dans une immense pièce – trois fenêtres – emplie de meubles somptueux.

« Assieds-toi. »

Il s'est assis dans un fauteuil, devant une table basse où, sur un plateau en argent, étaient préparés une carafe, trois verres et des serviettes.

« Je te sers ? »

Il a dit « s'il vous plaît », il a dit « merci », et tandis que son grand-père racontait qu'ils avaient fait une pause-dîner sur la route, un trajet sans problème, Pierre parfait comme d'habitude, Nils a dégusté le frais et savoureux mélange de jus d'orange et de pamplemousse, s'essuyant les lèvres avant de boire et après, ainsi que le lui avait appris sa mère, évitant de salir les initiales brodées en relief sur la fine serviette de dentelle blanche.

Puis Edmond s'est tourné vers lui et il a dit à Delphine : « Je crois que ton petit-fils à quelque chose à te montrer. »

Nils a puisé la photo sous son pull, il l'a sortie du plastique, et il l'a posée sur la table à côté du plateau en argent.

— Maman la regardait tous les jours, a-t-il murmuré.

— Je n'ai pas passé un seul jour sans prier pour elle, a répondu sa grand-mère en la prenant.

Alors il a posé la question qui lui brûlait le cœur, tant de fois adressée aux grands-parents de la photo sans en obtenir de réponse.

« Elle disait qu'elle ne pouvait pas revenir ici, qu'elle n'avait pas le droit, qu'elle était le déshonneur de la famille. »

Et là, c'est son grand-père qui a répondu.

« Pourquoi crois-tu que nous avons gardé durant presque vingt ans le même numéro de téléphone ? Si nous avions su où elle se trouvait, nous serions allés la chercher. Grâce au ciel, elle est revenue avec toi. »

*

Comment dire le bonheur ? Par quel bout commencer ? Bonheur, ce rayon de soleil qui passe par la fente du rideau lorsque Nils se réveille et que remontent les souvenirs. Bonheur, le silence, seulement percé de cris d'oiseaux – il faudra qu'il apprenne le nom de ceux d'ici, ici, chez lui.

Bonheur de découvrir sa chambre, les jolies aquarelles aux murs, la commode – trois tiroirs –, le bureau, le grand lit douillet dont il a du mal à se soustraire.

Plaisir de se plonger dans la profonde baignoire blanche à pattes de lion dans la salle de bain attenante à sa chambre, et tous ces miroirs, ce savon neuf qui embaume, ces épaisses serviettes, ces toilettes rien que pour lui.

Sept heures trente. Après s'être rasé et avoir remis ses vêtements neufs, Nils quitte sa chambre sans faire de bruit, longe un couloir, descend l'escalier qui mène au grand hall, retrouve le chemin du salon.

Il connaissait, sur le bout de ses doigts qui s'étaient évertués à le reproduire, chaque détail de l'extérieur du château ; il découvre ce qui se cachait derrière les rideaux des hautes fenêtres. Au plafond, les deux lustres en couronne, ornés de plus de perles et de cristaux qu'il n'en a jamais vus. Aux murs, des tableaux aux cadres dorés, représentant de dignes et imposants personnages qui le suivent des yeux tandis qu'il se déplace. Sur la vaste cheminée, cette pendule en bronze et marbre dont on peut voir osciller le balancier et, sur les meubles, ces bibelots, ces porcelaines, cette argenterie. Il passe d'une merveille à l'autre, brûlant de toucher, n'osant. Et s'il cassait quelque chose ?

« Monsieur Nils ? »

« Monsieur » ? Stupéfait, il se fige. C'est pourtant

bien à lui que s'adresse, avec un large sourire, la femme corpulente enveloppée d'un large tablier rose.

— Je suis Jeanne, la cuisinière. Voulez-vous prendre votre petit déjeuner ?

Il bredouille :

— Je crois que je vais attendre mes grands-parents.

Elle a un joli rire-grelot.

— Pour eux, c'est déjà fait. Ils ont eu leur plateau dans leur chambre. Ils pensaient que vous dormiez. Ils ne devraient pas tarder à descendre.

Et, en les attendant, bonheur du petit déjeuner à la cuisine – Nils a dû insister, Jeanne voulait le servir à la salle à manger –, le meilleur café au lait, les meilleures tartines, le meilleur beurre, les meilleures confitures du monde.

Delphine et Edmond sont descendus vers neuf heures. Non, rien n'avait changé durant la nuit. Il était toujours bien leur petit-fils. Ils l'ont embrassé.

— Tu as bien dormi ? Pas trop dépaysé ? Sais-tu que nous sommes le dimanche de Pâques et qu'à midi les cloches des églises déverseront leurs œufs en chocolat dans le jardin ?

Il a répondu :

— Je sais, maman m'a raconté.

En attendant, l'a averti en souriant son grand-père, il devrait subir l'épreuve des présentations, prévues à onze heures au salon.

« Ils sont tous impatients de te connaître, tu verras, tout se passera bien. » Et il a ajouté : « Tu ne parleras de ta mère, de votre vie à Amsterdam, que si tu le souhaites, chacun a droit à son jardin secret. Personne ne t'importunera avec des questions, ta grand-mère et moi y veillerons. »

Et il leur en a été reconnaissant.

À l'heure pile, ils ont envahi la pièce, et, les questions, Nils pouvait les lire dans les yeux avides des plus jeunes, fixés sur lui. Debout entre ses grands-parents devant la cheminée à la pendule dont le tic-tac rythmait les battements de son cœur, il a laissé œuvrer son grand-père.

« Voici Nils, enfin de retour à la maison, a commencé celui-ci d'une voix pleine d'entrain. J'ai pensé que vous pourriez vous présenter vous-même, par ordre d'âge. Baudoin ? »

L'oncle Baudoin s'est avancé avec sa femme, Béatrix, et leurs trois enfants, Thibaut, Louis-Adrien et Philippine. Philippine, la brune qui, la veille, lui avait lancé le joyeux « Bonne nuit ». Tous l'ont embrassé.

Puis cela a été au tour de Monique et de son fils Alexander, et Nils a tout de suite compris que celui-ci était malade. Accroché à sa mère, un gros ours brun serré contre sa poitrine, il fixait le tapis en marmottant des mots confus.

Enfin, Hermine – « la petite dernière », s'attendrissait la mère de Nils, en la désignant sur la photo –, avec Gilles, son mari, et leurs deux enfants : Fine, aux boucles châtain doré qui, hier, avait joint sa voix à celle de Philippine, et son petit frère, Benjamin.

Et on pouvait dire qu'Edmond avait bien calculé son coup car, à peine les présentations terminées, en même temps que sonnait midi à la pendule, les cloches de Pâques ont, toutes ensemble, fait valser le ciel.

6

Nils

C'est avec Fine et Philippine, que certains s'amusaient à appeler « les jumelles », bien qu'elles soient si différentes, que Nils a tout de suite accroché. Il faut reconnaître qu'elles ne lui ont pas laissé le choix : les cloches n'avaient pas cessé de sonner qu'elles l'emmenaient d'autorité à la chasse aux œufs en chocolat.

Chocolat noir, au lait, blanc, œufs garnis ou non, il y en avait pour tous les goûts. Une table avait été dressée devant le perron, chacun y posait son butin, et lorsque le compte a été bon, la distribution a eu lieu, en commençant par les plus jeunes. Le personnel n'avait pas été oublié, l'occasion de présenter à Nils la femme de chambre, occupant, ainsi que Jeanne, les pièces aux fenêtres en chiens-assis. Il a serré la main de M. et Mme Alvarez, les gardiens, et embrassé leur petite fille, Maria, qui habitaient, eux, la jolie maisonnette près de la grille. Bien sûr, Pierre était également présent. Un peu plus tard, Nils apprendrait qu'aucun d'entre eux n'avait connu Roselyne et il en serait soulagé.

Les derniers à être servis : ses grands-parents ; la classe !

Après un déjeuner-festin, ses cousines lui ont proposé de visiter les dépendances, toutes conçues de la même façon : une grande pièce style loft en bas, les chambres en haut. Il n'a pas souhaité entrer dans celle réservée à sa mère et ils ne sont restés que quelques minutes dans la dépendance de tante Monique à cause d'Alexander, particulièrement agité en ce jour de nouveautés.

Apprenant qu'il était autiste, Nils a compati car l'autisme est une prison que l'on se construit soi-même pour se protéger du monde.

Philippine, la plus bavarde, lui a confié que tante Monique s'était persuadée qu'elle était responsable de la maladie de son fils et que ça la rendait cinglée. Et Nils, qui s'était lui-même accusé de la maladie de sa mère, obligée de se prostituer pour le sauver de Werner, a compris Monique. Même si, dès le premier regard, il avait senti sa méfiance, comme si son arrivée représentait une menace pour Alexander.

Peu à peu, il a appris à mieux connaître ses autres cousins. Aucun problème du côté de Benjamin, tout heureux de sa venue et dont le mélange de gentillesse et de naïveté le touchait. Une évidente froideur de la part de Thibaut, qui s'occupait avec son père de la commercialisation du cognac, et une certaine distance du côté de Louis-Adrien, apparemment peu soucieux de présenter à ses amis golfeurs le cousin d'Amsterdam au passé douteux.

Mais qu'importait à Nils puisque, de jour en jour, ses liens se resserraient avec ses grands-parents. Aux côtés de Delphine, il feuilletait les albums de photos du passé sur lesquelles la jolie petite blonde à natte l'aidait à parler des regrets, des remords de la femme et du courage de la mère qui s'était sacrifiée pour lui, lui rendant justice, approuvé par sa grand-mère.

Avec Edmond, ils faisaient de longues promenades dans le vignoble où les bourgeons explosaient. Son grand-père lui expliquait le lent et patient chemin de la taille au fruit, du fruit au vin, du vin au cognac de Grande Champagne où se trouvait le domaine. Au chai, il admirait les roux fûts de chêne alignés les uns contre les autres, dont le bois provenait exclusivement de la forêt de Tronçais, de ces chênes plantés par Colbert pour la fabrication des navires de la marine royale. Et, se souvenant des morceaux de bois glanés sur les quais d'Amsterdam pour tenter de reconstituer un château, Nils cessait de voir la mer comme une prison, mais plutôt comme un terrain de conquête.

Dans la salle des alambics où se pratiquait la double distillation, le mot « sorcier » lui venait spontanément à l'esprit : sorcier, sourcier, savants mélanges d'eaux-de-vie, dont le maître de chai, M. Fénec, disait lui-même que les plus grands savants en la matière ne réussiraient jamais à percer totalement le mystère : le long et silencieux dialogue entre le bois et l'alcool d'où s'échappe la « part des anges », aboutissant à la belle teinte ambrée, l'arôme unique, la saveur inégalable du cognac.

Il se souviendrait toujours de ce petit matin de mi-avril quand, avec son grand-père, ils avaient assisté au lever du jour sur le vignoble, découvrant le parfum de la fleur nouvelle, cette senteur d'une finesse, d'une délicatesse incomparables : âme qui s'éveille, lumière naissante, chant de la terre.

Ne lui restait qu'à accéder au « paradis », la maison non loin du château où séjournaient les nectars les plus anciens et où Edmond l'avait initié à la dégustation.

Le grand Talleyrand, connaisseur en plaisirs, l'avait parfaitement résumée : « Prendre un verre, le monter peu à peu à son nez, le respirer longuement, se pénétrer de son arôme… puis le reposer sur la table et en parler. »

Et lorsqu'ils s'étaient autorisés à porter le verre tulipe à leurs lèvres, le cognac, tapissant leur gorge, y avait fait la « queue de paon », y laissant s'épanouir sa saveur durant plusieurs minutes inoubliables.

*

Nils aimait aussi se promener avec son grand-père dans la « bonne ville » de François Ier, traversée par la Charente. Écouter l'histoire du protecteur des arts et des lettres dont l'emblème était la salamandre et la devise inscrite en latin sur le portail de l'hôtel de Rabayne. Edmond la lui avait traduite : « N'aie pas confiance promptement, ne médis pas, évite l'ennemi. »

Et soudain, pourquoi ? Au mot « ennemi », une sourde angoisse l'avait étreint, comme si un avertissement lui était adressé.

Aussitôt oublié, tant était grand son bonheur, au cours de ces promenades, d'être présenté par son grand-père à ses amis ou connaissances : « Mon petit-fils, Nils. » À ceux qui s'étonnaient, très calmement, Edmond répondait : « Le fils de Roselyne qui, hélas, nous a quittés. » Et personne n'insistait, sauf, un jour, cette vieille dame qui avait remarqué qu'il était le portrait de sa mère. « Ah, ça, vous ne pouvez pas le renier », avait-elle ajouté, et tous deux étaient partis d'un gigantesque éclat de rire.

Ils parlaient aussi de son avenir. Nils souhaitait-il reprendre ses études ? Son français parfait l'y autorisait. Il avait répondu qu'il préférait travailler tout de suite et son grand-père l'incitait à ne pas se presser, l'été approchait, on verrait ça à la rentrée prochaine.

Un jour, dans une petite rue pavée de la vieille ville, Edmond lui avait présenté le menuisier ébéniste qui s'occupait de la réfection du nombreux et précieux mobilier du château, secondé par une petite armée d'artisans. L'émotion, l'excitation avaient mené Nils à poser mille questions sur le travail du bois au patron intrigué et conquis par son enthousiasme.

Après avoir quitté les lieux, il avait exprimé à son grand-père son désir, un désir remontant à l'enfance, d'emprunter cette voie-là. Et si celui-ci avait été déçu qu'il ne préfère pas s'engager à ses côtés dans le commerce du cognac, il n'en avait rien montré.

*

Ses dix-huit ans avaient donné lieu à une grande fête. Parmi les nombreux cadeaux reçus, une montre lumineuse offerte par les « jumelles ».

— À garder à ton poignet la nuit pour t'assurer que tu n'es pas en train de voler sur les ailes d'un jars, avait déclaré Philippine.

— Mais ici, avec nous, avait ajouté Fine en rougissant sous ses boucles châtain.

Autant Fine était réservée, autant Philippine se voulait un défi permanent, n'hésitant pas à s'attaquer à l'icône de la famille, Nils Holgersson, le trouvant trop gentil, mièvre, barbant avec ses bons sentiments, affirmant lui préférer Gorgo, l'orgueilleux aigle royal plein d'ardeur et de tempérament.

Et, bien sûr, toutes deux étaient derrière le somptueux cadeau de son grand-père, le « permis de construire » sa cabane dans le petit bois, que Nils avait interprété comme un acquiescement au vœu qu'il avait exprimé en sortant de l'atelier du menuisier ébéniste.

Sa grand-mère l'avait aidé à la meubler. Puis Delphine et Edmond étaient venus pour l'inauguration et avaient également participé à l'un des festins très appréciés « pommes de terre sous la cendre », ne craignant pas de s'en « mettre partout » à la joie générale. Nils était heureux qu'Alexander s'y plaise, et il y accueillait volontiers l'adorable petite Maria que ses cousins avaient tendance à écarter. Le but d'une cabane n'est-il pas d'être aussi un refuge, un abri pour ceux que les autres rejettent ?

Oui, du bonheur plus qu'il n'en avait jamais rêvé.

Jusqu'à l'horreur.

*

Ce vendredi, premier jour d'été, grosse chaleur, Nils a décidé de remettre un peu d'ordre dans la cabane. Les cousins sont à l'école, son grand-père est pris toute la journée par des clients, sa grand-mère déjeune en ville.

En tenue légère, short et espadrilles, il repousse les sièges contre le mur, balaie, nettoie la table, constate que le garde-manger sera bientôt à réapprovisionner. Dans le coin salon il retape les coussins, remarque la présence de Baloo – Alexander est passé. Avant de sortir, il ramasse la vaisselle sale qu'il lavera au château et rapportera plus tard.

Dame Jeanne l'accueille avec joie dans la fraîcheur de sa cuisine, l'autorise à piocher dans le réfrigérateur les quelques légumes et fruits de son repas. Par cette chaleur, on n'a pas trop d'appétit et, comme toujours, le dîner sera copieux. Tout en se restaurant, il se souvient de la promesse faite à Mado : l'inviter un jour au château. Il l'appelle régulièrement à Amsterdam ; elle s'ennuie de lui. Elle et Jeanne devraient bien s'entendre, il se laisse aller à quelques confidences.

Il est près de deux heures lorsqu'il reprend le chemin de la cabane, la vaisselle nettoyée dans un torchon. Pas le moindre bruit dans le petit bois, tout somnole sous le soleil, même les oiseaux se taisent. Tiens, la porte est entrouverte, il croyait pourtant l'avoir fermée.

Il la pousse. L'un des tabourets gît sur le sol, le garde-manger a été pillé et, au fond, côté salon, les coussins sont sens dessus dessous. Nils n'est pas content : qui lui a foutu ce bordel ! Voyant dépasser d'un des coussins un petit bout de robe, il comprend : Maria ! Elle a un peu trop tendance à entrer sans permission. Il s'approche, grondeur.

« Maria, Maria, je sais que tu es là, inutile de te cacher. Combien de fois t'ai-je interdit de venir ici toute seule ? »

Comme elle ne bouge pas, il repousse le coussin. La fillette a les yeux fermés, il la connaît, elle fait semblant de dormir.

« Allez, arrête cette comédie ! »

Alors qu'il la prend par les épaules, la tête ploie sur le côté, le corps est tout mou, la peur soudain étreint Nils : évanouie ? Il gifle les joues de la petite : « Réveille-toi, Maria, je t'en prie, réveille-toi ! » Se penchant sur son visage, il distingue des traces noirâtres le long du cou, ne dirait-on pas du sang séché ? Avec horreur, il découvre que celui-ci vient du lobe de l'oreille, sauvagement arraché avec le petit diamant qui l'ornait, dont elle était si fière.

Et à cet instant, Monique surgit à la porte de la cabane, court vers lui, regarde sa main tachée, soulève la robe de la fillette. Il y a aussi du sang sur le ventre de la petite. Elle crie.

« Mon Dieu, Nils, qu'est-ce que tu as fait ? »

Tante Béatrix et la gardienne les ont rejoints. Elles lui arrachent Maria. La gardienne hurle. Il entend des mots terribles : « Elle est morte. » Et aussi, « il l'a violée ». Qui, « il » ? De qui parlent-elles ? Pourquoi le regardent-elles ainsi ? Pourquoi tante Monique se met-elle en travers de la porte comme pour l'empêcher de s'enfuir ?

Et très vite, les pompiers, le Samu, les gendarmes, le trou noir.

dirent [illegible] évoquer [illegible] d'autres [illegible] de [illegible]
[illegible] Marie, ici l'on [illegible]
[illegible] le sang [illegible] pas en sang [illegible]
Avec honneur, il [illegible] que celui-ci [illegible]
de [illegible] grave [illegible] le [illegible]
qu'il [illegible] dont [illegible]

[illegible] en [illegible]
[illegible] sur le [illegible]
la [illegible]

[illegible]
[illegible] Marie [illegible]
[illegible] elle est [illegible]
[illegible] On [illegible]
le [illegible]
[illegible] elle en [illegible]
[illegible]
[illegible] la [illegible]
[illegible]

DEUXIÈME PARTIE

EN DROIT D'ESPÉRER

1

Fine

Il n'y a plus eu de « chut ! », il n'y a plus eu d'« Attention ! », il y a eu « dignité », la consigne donnée par grand-père, plus qu'une consigne, un ordre : envers et contre tout, contre tous, garder la tête haute, ne pas condescendre à baisser les yeux, ignorer la honte – quelle honte ? Et aux inévitables questions, n'opposer qu'une réponse : « Laisser agir la justice. »

Ce vendredi brûlant où, tandis que nous étions au collège sans nous douter de rien, sans ressentir le moindre frisson intérieur, le plus petit avertissement que notre vie s'apprêtait à basculer, que le ciel n'aurait plus jamais tout à fait la même couleur, la même légèreté, tante Béatrix en sanglots appelait grand-père qui recevait des clients avec Baudoin et M. Fénec : « Papa, pardonne-moi, mais c'est trop horrible, Nils a tué Maria, les gendarmes viennent de l'emmener. »

Sans un mot d'explication, grand-père lâchait ses clients, passait chercher grand-mère qui bridgeait avec des copines et ne lui aurait jamais pardonné d'y aller sans elle, et se présentait à la gendarmerie.

Après avoir rappelé tante Béatrix pour tenter d'y comprendre quelque chose, Baudoin abandonnait à son tour les clients au maître de chai, rentrait dare-dare au château, franchissait la grille dans sa Chevrolet décapotable avec l'aide des gendarmes qui tenaient les journalistes en respect et s'enfermait dans sa dépendance.

Pendant ce temps, le Samu avait emmené Mme Alvarez, sous le choc, à l'hôpital, en compagnie de M. Alvarez. Deux militaires gardaient le lieu du crime afin que personne ne s'en approche avant la venue, le lendemain, de la police scientifique qui relèverait les empreintes et chercherait des indices ; d'autres patrouillaient dans le parc – on se serait cru à la guerre. On l'était !

N'en pouvant plus d'entendre sa mère parler de Nils comme d'un assassin, Philippine était venue se réfugier chez nous. Quand elle avait frappé à la porte et que maman lui avait ouvert les bras : « Alors, ma chérie ? », elle qui ne pleure jamais avait carrément explosé : « Ce n'est pas vrai, ce n'est pas lui ! C'est impossible, vous, vous le savez qu'il peut pas avoir fait ça ? »

Du coup, Benjamin s'était remis à pleurer en répétant que Nils a-do-rait Maria, il la prenait sur ses épaules, il lui faisait des chatouilles, des pinçons tournants quand elle exagérait, les gendarmes s'étaient trompés, n'est-ce pas maman ? N'est-ce pas, papa ?

« Si nous attendions le retour de vos grands-parents ? Ils ne devraient plus tarder, avait fini par dire papa en regardant sa montre pour la centième fois. Ils en sauront forcément davantage. »

Et il avait obligé tout le monde, même maman, à boire un grand verre d'eau en respirant à fond.

« Peut-être qu'ils vont le ramener », avait rêvé Benjamin.

Rêvé…

*

Il était presque sept heures lorsqu'ils sont rentrés sans Nils. Il faisait toujours très chaud, juste un peu moins brûlant. On a tous couru à leur rencontre. Pierre a arrêté la voiture devant le perron, grand-mère portait ses lunettes de soleil, même si le soleil tournait de l'œil derrière les arbres, quant à grand-père, du jamais-vu un jour de semaine, il était en bras de chemise, cravate quand même, où était donc passée sa veste ?

Avant de monter les marches du perron, ils se sont tournés vers nous.

« Venez ! » a-t-il ordonné.

Nous l'avons suivi au salon où, sauf grand-mère dans son fauteuil habituel, personne ne s'est assis, peut-être qu'il y a des choses qu'on préfère entendre debout pour pouvoir se sauver si ça craint trop, même si au fond on sait très bien qu'on ne le fera pas.

C'est à nous, les cousins, que grand-père s'est d'abord adressé et, malgré ses efforts, il avait une voix catastrophique, comme sortant d'une grotte.

« Vous savez tous ce qui est arrivé à notre pauvre petite Maria, a-t-il commencé. Vous savez également que Nils a été conduit à la gendarmerie où il est actuellement en garde à vue. J'ai eu la chance d'être autorisé par le commandant à le voir quelques minutes. Il grelottait, c'est pourquoi je lui ai laissé ma veste. »

Nils grelottait ? Alors que toute la France grillait ? Un vent glacé a traversé le salon.

Grand-père a fouillé dans la poche du haut de sa chemise, côté cœur, là où il glisse parfois un foulard de couleur, il en a retiré la rosette de la Légion d'honneur qu'il porte sur toutes ses vestes, reçue pour conduite héroïque pendant la guerre, ce qui compte dix fois plus que les décorations qu'on vous remet automatiquement quand vous occupez un poste élevé, et il l'a brandie au bout de ses doigts.

— Je lui ai posé une seule question : « Est-ce toi, Nils ? » Il m'a donné sa parole d'honneur que non. Sachez que je l'ai cru, votre grand-mère également ; pour nous, il est innocent, nous n'en démordrons pas.

Philippine a applaudi, moi, j'avais de nouveau envie de pleurer, de soulagement cette fois. Tante Monique a crié :

— Mais papa, je l'ai vu ! Et Béatrix aussi.

— Absolument, a confirmé tante Béatrix, sans crier, elle.

— Vous avez vu une malheureuse petite fille dans les bras de Nils, vous ne l'avez pas vu l'étouffer.

— Il la frappait.

— Il pensait qu'elle était évanouie et tentait de la réanimer.

— Et le sang sur sa main et sur le ventre de…

— Monique, assez ! a ordonné grand-mère. Tu te tais ou tu sors.

Monique a serré les dents et fixé le plancher d'un air outragé.

— Dimanche, Nils sera présenté au procureur de la République d'Angoulême qui décidera de la suite des événements, a repris grand-père. Dès ce soir, je compte m'enquérir d'un avocat ; il aura le meilleur. En ce qui vous concerne, voici l'attitude que je vous demande d'adopter.

C'est là qu'il a parlé de « dignité ». Nous n'avions aucune illusion à nous faire, dès demain, notre nom serait à la une des médias. Les gens sont friands de ce genre de drame, surtout lorsqu'il atteint une famille comme la nôtre, connue, par certains enviée. Nous ne serions pas ménagés. Il arriverait que des choses fausses, parfois injurieuses, soient dites ou écrites contre nous. Aux journalistes qui tenteraient de nous approcher, il nous demandait de ne pas répondre et surtout, surtout, nous ne devions jamais évoquer le passé de Nils, prononcer le nom de Roselyne, au risque de lui nuire et de voir étalée sur la place publique l'intimité de la famille. Pouvait-il compter sur nous ?

Là, il s'adressait à tous et, bien sûr, le « oui » a été général.

2

Fine

C'est à cet instant qu'on a frappé à la porte et, sans attendre de réponse, Jeanne est entrée. Elle avait retiré son tablier et mis ses chaussures à lacets. Ses yeux étaient gonflés tellement elle avait pleuré.

« Entrez, Jeanne ! a dit grand-mère avec empressement. Pardonnez-nous de ne pas vous avoir demandé de venir. »

Jeanne nous a tous vu naître, alors elle fait partie de la famille. Pierre aussi d'ailleurs, si ce n'est que lui n'habite pas au château mais à Cognac avec sa femme et, comme elle est stérile, nous sommes tous un peu ses enfants.

D'un pas décidé, Jeanne s'est avancée vers grand-mère.

— Madame, ça ne peut pas être Nils qui a tué la petite, j'en suis certaine, a-t-elle déclaré.

Tante Monique a relevé brusquement la tête comme si Jeanne l'avait mordue.

— Y a-t-il quelque chose qui vous permette de l'affirmer ? a demandé grand-père d'une voix étouffée par l'espoir.

— À midi, il est venu déjeuner à la cuisine. Il était tout joyeux, tout heureux d'être là, je veux dire en France. Il m'a parlé de sa Mado d'Amsterdam qu'il voulait inviter, il faisait des projets.

Elle s'est tournée vers tante Béatrix et tante Monique.

— On ne parle pas comme ça quand on s'apprête à faire ce que vous dites qu'il a fait ! À moins d'être un fou furieux.

— Et Nils n'est ni l'un ni l'autre, a relevé grand-père, nous le savons tous. Dites-nous, Jeanne, après son déjeuner, l'avez-vous vu repartir vers la cabane ?

— Hélas non, monsieur ! J'étais au sous-sol à faire tourner mes machines. C'est quand je suis remontée et que j'ai entendu les cris que j'ai compris qu'il s'était produit quelque chose de grave. Si seulement je l'avais accompagné !

— Et avant cela, vous n'avez vu personne, à aucun moment, traîner dans le jardin ?

— Non plus, a répondu Jeanne avec regret. Et elle a ajouté : Je connais bien monsieur Nils, je suis prête à jurer que ce n'est pas lui.

Grand-père a dissimulé un soupir de déception.

— Merci pour votre témoignage, Jeanne ; vous aurez l'occasion d'en faire part au juge d'instruction. Il a désigné grand-mère : Sachez que madame et moi, nous sommes convaincus de l'innocence de notre petit-fils et que nous mettrons tout en œuvre pour qu'elle soit reconnue et le véritable coupable retrouvé et châtié.

Philippine a applaudi et tante Béatrix l'a fusillée du regard. Elle et tante Monique sont parties les premières. Grand-père nous a fait signe d'approcher et, cette fois, il a sorti d'une des poches de son pantalon la montre qu'on avait offerte à Nils pour son anniversaire.

« Il n'a pas été autorisé à la garder. Vous savez combien il y tient. J'ai pensé qu'il serait heureux qu'elle vous soit confiée jusqu'à son retour. »

Là, rarissime, je suis allée plus vite que Philippine, je l'ai attrapée et attachée direct à mon poignet, dernier cran. Bien sûr, elle a râlé : « De quel droit ? » Du droit que c'était moi qui avais eu l'idée des aiguilles lumineuses pour que, la nuit, Nils puisse s'assurer qu'il ne rêvait pas, qu'il était bien arrivé. Du droit que Philippine, elle, les ailes d'un jars, ça la faisait doucement rigoler.

Les aiguilles marquaient sept heures et demie. Maman nous a fait signe : il était temps de laisser nos grands-parents se reposer, sans compter l'avocat à chercher dès ce soir. Quand j'ai embrassé grand-mère, ses joues étaient humides et elle a vite remis ses lunettes noires ; dans la famille, on ne pleure pas en public, même si le public, c'est la famille.

L'oncle Baudoin qui, comme beaucoup d'hommes, a horreur des criailleries entre ses femmes a accepté avec soulagement que Philippine dorme chez nous : ce ne serait pas la première fois ! On avait hâte d'être seules pour pouvoir discuter, mes parents aussi, je crois, et comme personne n'avait vraiment faim, chacun a pioché à sa guise dans le frigo et dans les placards de la cuisine.

Benjamin s'est fait un plateau-télé devant son feuilleton, papa et maman se sont servi un whisky sur la terrasse, Philippine et moi on a pris de quoi grignoter au lit.

La chambre était une fournaise, j'ai fermé la porte à clé, Philippine a ouvert grand la fenêtre, on a tout retiré et, malgré ce qui s'était passé, cette petite haleine tiède sur la peau, c'était agréable.

Plus tard, après avoir éteint, on s'est concentrées et on a envoyé des ondes positives à Nils, ça crépitait partout dans le jardin comme des réponses, je fixais fort la lueur des aiguilles de sa montre et les ondes positives se transformaient en ruisseaux salés sur mes joues. Pauvre Maria, pauvre pot de glu.

Je ne sais pas à quelle heure on s'est endormies.

*

Des cris nous réveillent en sursaut, ça sent la fumée, au loin des sirènes ? On enfile n'importe quoi et au galop !

C'est la cabane qui brûle. Grand-père, oncle Baudoin et mes parents, en robe de chambre, regardent les gendarmes, chargés de la surveillance du lieu du crime, l'arroser avec les extincteurs du château qui ne servent pas à grand-chose. Enfin, voici les pompiers : une voiture et un camion-citerne. Ils ordonnent très poliment : « S'il vous plaît, écartez-vous messieurs dames », déroulent leurs gros tuyaux et aspergent les flammes avec leurs lances. Quand ils s'arrêtent, il ne reste presque plus rien : des rondins à moitié calcinés, des bouts de coussins rouges qui crachent une mousse grise, des morceaux de tabourets, sans compter les tapis de grand-mère réduits en éponges. C'est mal parti pour la police scientifique demain.

On voit que les gendarmes ne sont pas fiers ; ils expliquent au capitaine des pompiers qu'ils se sont seulement éloignés de quelques mètres, durant quelques minutes, pour manger un sandwich et boire un café, et voilà ! Pour eux, aucun doute, quelqu'un guettait : un incendie criminel. Et avec la sécheresse, une simple allumette, la flamme d'un briquet ont pu suffire à tout embraser.

Les soupçons se sont portés sur M. Alvarez, dont la femme était restée à l'hôpital, et que l'on a retrouvé dans sa maison, saoul, désespéré, vociférant. Cette cabane, ne l'avait-il pas construite de ses mains avec celui qui était soupçonné d'avoir violé et assassiné sa fille ? Côté combustible, avec, dans sa resserre, l'essence pour la tondeuse et les produits à barbecue, il n'aurait eu que l'embarras du choix.

Il a juré que ce n'était pas lui, qu'il n'avait pas quitté son lit, et grand-père a fait en sorte qu'il ne soit pas inquiété.

Plus tard, grand-père l'aiderait aussi, cette fois à se reloger, à Châteaubernard, lorsqu'il donnerait sa démission de gardien. Mais avant cela, beaucoup d'eau aurait coulé avec la Charente sous les ponts de Cognac et d'Angoulême.

Et ce fleuve si doux et tranquille nous donnerait parfois l'impression de chercher à nous emporter.

3

Fine

Grand-père est apparu à la porte du château vers neuf heures. Grand-mère ne l'accompagnait pas. Philippine et moi guettions depuis un bon moment, pas question de louper son départ.

Il tenait un sac de voyage à la main et n'a pas semblé plus étonné que ça de nous voir. Il a levé le sac : « Des vêtements propres pour Nils ! »

On l'a chargé de l'embrasser pour nous, et surtout, surtout, de lui dire que nous aussi, on croyait à son innocence. Hélas, il n'était pas certain d'avoir à nouveau l'autorisation de le voir, hier ça avait été par faveur spéciale du commandant de la gendarmerie, un ami. Une petite entorse au règlement, chut ! « Chouette ! » a renvoyé Philippine.

Il y avait quand même une bonne nouvelle : grand-père avait rendez-vous à Angoulême avec une avocate dont on lui avait dit grand bien. Si elle acceptait de défendre Nils, elle lui rendrait visite dès cet après-midi et ce serait elle qui lui transmettrait notre message et l'embrasserait pour nous.

Pierre avançait la voiture. Quand il a voulu le

débarrasser du sac, grand-père a dit « Non merci » en le serrant contre sa poitrine, peut-être sa façon à lui d'envoyer des ondes positives à Nils.

« Je vois que sa montre est bien gardée », a-t-il ajouté en désignant mon poignet avant que Pierre ne referme la portière. J'ai été fière et Philippine a levé les yeux au ciel.

La matinée s'est traînaillée. Les journalistes étaient de retour, alors on avait interdiction de quitter le château, et Louis-Adrien n'arrêtait pas de râler à cause de sa partie de golf qu'il avait dû décommander. Les gendarmes continuaient à monter la garde près de la grille et ils faisaient des rondes, au cas où un petit malin aurait l'idée de s'introduire en douce dans le parc. Il faisait toujours aussi chaud et, même si c'était de la tristesse, ça sentait bon le bois brûlé.

En fin de semaine, il y a toujours foule pour visiter la Maison, à Cognac, et, si possible, goûter à la production. Ce sont surtout les alambics qui fascinent les visiteurs, le fait que M. Fénec travaille à l'ancienne et qu'il avoue humblement, comme tous les grands artistes, que, même pour lui qui en connaît toutes les couleurs, le « nectar des dieux » garde une part de mystère.

Pour l'aider à subir l'assaut, l'oncle Baudoin et Thibaut se sont fait un devoir… et un soulagement d'aller lui prêter la main.

La police scientifique est venue vers dix heures : deux femmes et un homme en gilet vert munis de leur matériel. Ils ont râlé contre les gendarmes qui avaient laissé saccager leur terrain où il ne restait pratiquement rien d'exploitable et ils sont repartis très vite avec des sacs en plastique remplis de cendres et de débris d'objets.

*

On ne parle pas la bouche pleine, ça, tout le monde le sait. On ne parle pas non plus des choses graves pendant les repas, sauf ceux d'enterrement qui sont faits pour ça. On ne mélange pas le tragique au plaisir et à la gourmandise, aussi est-ce au salon, avant le déjeuner – Philippine avait carrément apporté son rond de serviette –, que maman nous a fait part de sa résolution, et là ça ne sentait pas le bois brûlé mais la bonne odeur du poulet grillé.

— J'ai décidé d'accorder moi aussi ma confiance à Nils, a-t-elle annoncé. Et rien ni personne ne me fera changer d'avis.

Philippine, Benjamin et moi avons applaudi : déjà six voix pour Nils, sans compter Jeanne.

— À la vérité, je n'ai jamais douté de son innocence, a repris maman. Qui pourrait croire une seule seconde qu'un garçon aussi sensible ait pu commettre une telle atrocité ?

Sur « atrocité », sa voix s'est cassée, Benjamin a lancé un regard de détresse vers papa qui a vite pris le relais pour détendre l'atmosphère.

— Pour ma part, j'ai toujours accordé ma confiance à ma chère et tendre épouse ici présente, aussi déciderai-je sans hésitation de marcher avec elle.

— Est-ce que ça veut dire que tante Monique et tante Béatrix ont menti ? a demandé Benjamin tout content.

— Bien sûr que non ! a répondu papa. Et la pauvre Mme Alvarez non plus. Mais ce n'est pas parce qu'elles ont trouvé Maria dans les bras de Nils que cela fait de lui l'assassin.

— Et comment on va le prouver ? a demandé Philippine.

— Ce sera le travail des enquêteurs. Et de son avocate…

— Souhaitons que l'épreuve ne dure pas trop longtemps, a soupiré maman.

Benjamin a levé le doigt.

— J'ai le droit de mettre les frites au micro-ondes ?

Durant l'après-midi, Philippine et moi avons exploré le terrain autour de la cabane qui n'existait plus dans l'espoir de trouver de l'« exploitable » pour la police scientifique, par exemple voir briller dans la terre, les aiguilles de pin, une touffe d'herbe, le petit diamant dont Maria était si fière, mais niquedouille, rien !

Il était presque six heures lorsque grand-père est revenu. On l'attendait, assises sur une marche tiède du perron. Il a sauté de la voiture sans attendre que Pierre lui ouvre la portière. Plus de sac !

« Retenez bien ce nom, les filles : maître Gabrielle Darcet. » L'avocate de Nils.

Elle était jeune – trente-cinq ans –, battante, acharnée – une qualité dans son métier – et généreuse. Elle avait accepté de défendre Nils et, à l'heure actuelle, devinez ce qu'elle faisait ? Elle était avec lui et l'embrassait pour nous.

« Ça vous convient, mesdemoiselles ? »

On s'est jetées au cou de grand-père, en manquant de le renverser, avant qu'il n'escalade deux à deux les marches du perron, comme un jeune homme, pour aller rassurer grand-mère.

Puis c'est bientôt le dîner, on prend le frais sur la terrasse devant la maison quand un cri de Benjamin, au salon, nous fait tous sursauter.

C'est le journal, France 3. Le présentateur annonce qu'un drame affreux s'est produit au château d'Edmond de Saint Junien, le producteur de cognac bien connu. Une petite fille de quatre ans a été retrouvée étouffée dans le parc, plus précisément dans une cabane qu'un incendie a détruit durant la nuit. Le procureur de la République s'apprête à faire une déclaration à la presse.

Et voici le palais de justice qu'on reconnaît à ses colonnes et à sa pendule ronde. Il y a une foule de journalistes devant. Le procureur apparaît en haut des marches. Il porte un costume bleu et une cravate rayée. Il a les cheveux gris, l'air sévère. Il dit qu'avant tout il veut présenter ses condoléances à la famille de la petite victime, puis annonce qu'un suspect, proche de la famille de Saint Junien, a été mis en garde à vue ; il clame son innocence. Quand le procureur se dit prêt à répondre à quelques questions, papa fonce et éteint le poste.

Ni le procureur ni le présentateur du journal n'ont prononcé le nom de Nils. On voudrait tellement leur dire merci.

4

Fine

Dignité ! Dimanche, nos grands-parents ont décidé d'aller, comme d'habitude, à la messe de onze heures à l'église Saint-Léger, notre paroisse.

Alors que généralement on n'est pas nombreux à les accompagner, cette fois, sauf tante Monique qui reproche à Dieu la maladie d'Alexander et la fuite de son mari, et Louis-Adrien qui craignait d'être la cible des regards après la télé d'hier, on a tous décidé de se joindre à eux, ce qui a profondément ému grand-mère.

« Soyez naturels », nous avait recommandé grand-père. Ça n'a pas posé de problème : on s'est tous tenus bien droits en fixant l'autel, sans se préoccuper du public. Nos grands-parents, maman et tante Béatrix sont même allés communier.

À la sortie, personne n'a essayé de nous parler. Sauf un vieux monsieur qui a serré la main de grand-père, à lui démancher le bras, en disant très fort : « On est tous derrière toi, mon vieux ! » et on a adoré.

*

L'après-midi de ce même dimanche, à quinze heures, Nils a été conduit au palais de justice d'Angoulême, où son avocate l'attendait. Ils ont été entendus par le procureur de la République qu'on avait vu la veille à la télé. La garde à vue se terminait, il déciderait de la suite : mise en examen, en détention, ou remise en liberté de Nils.

L'avocate avait promis à grand-père de l'avertir sitôt la décision prise.

Une partie de la famille était réunie au salon autour de grand-mère, même Jeanne, qui n'avait pas pris son dimanche, était là.

Dès quatre heures, grand-père n'a plus lâché son portable.

Cinq heures, six, et toujours rien ! On ne pouvait même pas dire : « Pas de nouvelles, bonnes nouvelles ! » On avait ouvert à deux battants les fenêtres pour laisser entrer un peu de fraîcheur du soir et parce qu'on bouillait tous d'impatience. Enfin, vers six heures et demie, on a entendu au loin le grondement d'une moto, puis la grille qui s'ouvrait, déclenchée par M. Alvarez, et on a couru voir ce qui se passait.

C'était un gros cube rouge, c'était Gabrielle Darcet. Elle a coupé le moteur et a roulé doucement jusqu'au puits près duquel elle s'est arrêtée. Quand elle a retiré son casque, ses cheveux blonds ont coulé sur ses épaules, elle était belle comme une Walkyrie, les guerrières de Wagner. Les yeux de Philippine se sont enflammés.

Grand-mère dit toujours qu'on ne doit pas annoncer les mauvaises nouvelles au téléphone mais de vive voix afin de pouvoir réconforter les malheureux sur la tête desquels elles sont tombées.

Alors, on a su.

Après avoir pris connaissance du rapport établi par la gendarmerie et écouté le présumé coupable et son avocate, le procureur avait proposé la mise en détention provisoire de Nils jusqu'au procès.

Il avait été conduit directement à la maison d'arrêt d'Angoulême.

5

Fine

« Dis, grand-père, “mise en détention provisoire”, ça veut dire que Nils va revenir bientôt ? »

Grand-père se tourne vers la nuit, la cour éclairée : dix heures du soir ; apparemment, grand-mère et lui n’arrivent pas non plus à se coucher. Et, pour leurs petits-enfants, la porte du château reste ouverte jour et nuit, c’est leur rôle, être là, ne jamais laisser une question sans réponse. Quand on s’est glissées, Philippine et moi, dans le salon, ils se tenaient la main dans le canapé sans rien dire, comme ça, c’est tout, j’aime bien.

— Si tout se passe correctement, il devrait revenir dans un peu plus d’un an, répond grand-père.

— Plus d’un an ? Mais c’est dégueulasse ! Pourquoi si longtemps ?

— Le temps de l’enquête, Philippine, explique grand-père en ignorant le « gros mot » – rarissime, pas rassurant ! La recherche de nouveaux éléments et, souhaitons-le, l’arrestation du criminel.

Je demande :

— Et si ça ne se passe pas correctement ? Si l'enquête ne donne rien ?

— Espérons ! dit fermement grand-mère en effleurant du doigt sa médaille de baptême qui ne la quitte jamais, même si ça ne l'empêche pas d'y ajouter d'autres colliers, surtout celui de perles, le préféré de Nils. Nous allons tous prier pour !

— Et faisons confiance aux enquêteurs, ainsi qu'à son excellente avocate, complète grand-père.

— Nous compte pas pour du beurre, please, pas question de rester les bras croisés ! décide Philippine.

Grand-père sourit. Il dit avec fierté : « Mes chevalières », comme le jour où il nous avait adoubées au « paradis ».

— Est-ce qu'on aura le droit d'aller le voir ?

— Il est un peu trop tôt pour le savoir. N'oubliez pas que vous êtes mineures.

— En tout cas, à dix-huit ans, je passe le permis moto, annonce Philippine.

— Sur une moto rouge, peut-être ? demande grand-père, et il a un rire, ce qui prouve qu'on peut rire même dans le malheur.

— En attendant la moto, que penseriez-vous d'aller vous coucher, mes chéries ? ajoute grand-mère. Il me semble que demain, il y a collège…

*

Collège quand même, collège malgré tout ! Encore huit jours à tirer avant les vacances. Maman a décidé de garder Benjamin à la maison. Elle appellera la directrice, qui comprendra. Il est fragile et incapable de se défendre quand on l'attaque. Entre parenthèses, côté modèle, il aurait gagné à avoir Philippine comme sœur plutôt que moi.

À huit heures et quart, Pierre nous a déposées devant le grand portail, comme d'habitude. Pierre la langue dans sa poche et de grosses poches gonflées sous les yeux. Avant de sortir de la voiture, Philippine a crâné.

« Chouette ! On va enfin pouvoir faire le tri entre les vrais et les faux amis. »

Ceux qui verseraient des larmes de crocodile pour mieux nous dévorer par-derrière, les jaloux qui se réjouiraient, les sans-cœur qui nous tourneraient carrément le dos, et les vrais, qui éprouveraient sincèrement de la peine pour nous.

Le tri n'a pas été difficile : les vrais ont fait comme si de rien n'était, avec juste, dans leurs yeux, une chaleur en plus qui disait la même chose que le vieux monsieur à grand-père devant l'église Saint-Léger.

Lorsque Nils était arrivé au château, grand-père nous avait recommandé de ne pas l'interroger sur son passé, tout en lui indiquant par de petits signes que nous étions prêts à l'entendre ; c'est ce qu'ont fait les professeurs, mais pour l'instant, pas plus Philippine que moi n'avions envie de parler et ils n'ont pas insisté.

Quant à Louis-Adrien, en terminale, à qui grand-père avait recommandé d'être discret, lui qui est snob comme un pot de chambre et ne pense qu'à frimer, il a trouvé la parade. Il a déclaré qu'on était devant l'erreur judiciaire du siècle et qu'il n'en parlerait que lorsque la vérité aurait éclaté.

Pour une fois, chapeau !

*

Il y a toutes sortes de colères, les noires, les bleues comme la peur, les dantesques, les colères rentrées que l'on retient parfois pendant si longtemps que lorsqu'elles explosent, c'est la tuerie.

Quand l'avocate de Nils a envoyé par mail à grand-père l'article paru mardi matin en première page de *La Charente Libre*, le journal de la région, il a piqué une sainte colère qui a ébranlé le ciel.

Tout le passé de Nils – Werner, Roselyne, la prostitution, le sida – y était raconté. L'article parlait aussi de sa récente arrivée en France, laissant entendre que personne ne le connaissait vraiment et qu'avec une enfance pareille il était capable de tout. Il était signé Arthus Leblond.

QUI ?

Qui avait trahi, enfreint la consigne : « Pas un mot sur Amsterdam » ?

Alors, emporté par sa sainte colère, grand-père file avec Pierre au siège du journal, à Angoulême, où Gabrielle Darcet l'attend. Il porte sa rosette bien en vue. Pour défendre son petit-fils, il y aurait volontiers ajouté ses croix de guerre, quitte à être ridicule ; le ridicule ne tue pas, ce genre d'article le peut.

Il monte avec l'avocate à la salle de rédaction, une immense pièce pleine de bureaux où palpitent des écrans bleus accompagnant le brouhaha des journalistes qui parlent tous à la fois, entre eux ou au téléphone.

Grand-père se plante au milieu de la salle, brandit l'article, réclame le silence, exige de « parler à l'infâme scribouillard, au fouille-merde, au ver de vase qui a pondu l'ignominie » – l'avocate n'en croit pas ses oreilles. Un gringalet à crête de coq, le genre à croire que le monde a commencé avec lui, s'avance nonchalamment vers le « papy » qui l'écrase de son mépris avant de le sommer de lui donner le nom de sa source. Le coq répond qu'il a promis le secret et qu'il n'a fait que son métier : informer. Le « papy » l'attrape par les épaules, le secoue comme un prunier – l'avocate craint qu'il ne le démembre. Certains tentent de s'interposer, le boucan attire le rédacteur en chef, bientôt suivi du directeur du journal, grand-père lâche le ver de vase, se nomme, présente maître Gabrielle Darcet et menace le journal d'un procès pour atteinte à la vie privée. Ordre est donné à Arthus de citer sa source. Il s'incline :

« Mme Monique de Saint Junien. »

*

Ce que grand-père a dit à tante Monique, nul n'en a jamais rien su, mais les murs de sa dépendance ont tremblé et durant deux jours personne ne l'a vue. En tout cas, ça y était, pour l'intimité de notre vie étalée sur la place publique, et tous les buveurs de sang, les « trop beau pour être vrai », les « ils cachaient bien leur jeu », se sont régalés.

Sainte colère… punition du ciel ? Les résultats de l'autopsie sont tombés telle la foudre sur la tête de la traîtresse. Contrairement à ses affirmations, Maria n'avait subi aucune violence sexuelle. Le sang retrouvé sur elle venait exclusivement du morceau de chair arraché avec le diamant. On avait trouvé sur son corps de nombreuses traces de coups portés avec violence. Elle était morte étouffée par un coussin appliqué sur son visage.

Apprenant la nouvelle, tante Monique est d'abord

restée pétrifiée, éprouvant enfin du remords ? Puis elle a murmuré : « Alors tout ça pour rien ? » et on n'a pas vraiment compris, mais comme il lui arrive de débloquer autant que son fils, personne n'a cherché à approfondir.

Quoi qu'il en soit, c'était bon pour Nils : l'une des charges les plus lourdes retenues contre lui tombait.

*

L'enterrement a eu lieu samedi à onze heures en l'église Saint-Léger.

Toute la famille était là, sauf tante Monique qui se sentait mal et, bien sûr, Alexander. Jeanne, Pierre et sa femme étaient présents eux aussi.

On était venus à l'avance pour choisir nos places, ni devant, évidemment, mais pas non plus au fond, ce qui aurait été comme chercher à nous cacher. Alors au milieu et on occupait carrément deux rangées.

Même si M. et Mme Alvarez ne connaissaient pas grand monde à Cognac, l'église était bondée, pleine de gens venus pour réclamer qu'une telle horreur ne se reproduise jamais. Il y en avait même qui n'avaient pas pu entrer et qui ont suivi l'office sur le parvis où avaient été installés un écran géant et des haut-parleurs.

Un peu bêtement, j'ai pensé que Maria, qui aimait à jouer les vedettes, encouragée par l'admiration de ses parents, aurait été fière en voyant tous ces gens venus pour elle, mais quand les grandes orgues ont éclaté et que le minuscule cercueil, porté par quatre hommes en noir, a longé la travée, là, je n'ai pas pu retenir mes larmes, des larmes pour elle, pour Nils, à cause de la musique et aussi parce que, sous le couvercle, elle n'avait plus qu'une seule boucle d'oreille.

Le curé l'attendait devant l'autel, entouré d'autres prêtres. Il a écarté les bras : « Viens, Maria, viens dans la maison du Père. » Le cercueil a été posé sur les tréteaux et recouvert de roses blanches. Des fleurs, il y en avait partout sur le sol, et même quelques peluches.

Durant la messe, il y a eu de nombreux chants auxquels toute l'assemblée a participé, et à chaque silence, on entendait les sanglots de Mme Alvarez, soutenue par sa famille, venue d'Espagne, qui pleurait elle aussi.

Dans son homélie, le père Anselme, qui nous a tous baptisés, a dit qu'une âme pure était montée droit au ciel et que sa lumière éclairerait toujours ceux qui avaient aimé Maria, et là je lui ai demandé pardon pour toutes les fois où je l'avais appelée le « pot de glu » et essayé de m'en débarrasser.

Grand-père et grand-mère sont allés communier. Plus tard, sauf Benjamin dont les jambes tremblaient trop, nous avons défilé devant le cercueil en faisant le signe de croix avec le goupillon d'eau bénite pour l'ultime adieu.

Mais, par correction, on n'a pas participé au défilé, ni à la marche jusqu'au cimetière qui se trouve entre la rue du Repos et la rue de Montplaisir.

6

Fine

Puis, très vite, grand-père prend une décision qui va tous nous soulager, à commencer par ceux qui partagent l'aile de tante Monique.

Qu'elle soit d'accord ou non, Alexander doit être placé dans un établissement spécialisé, sinon, à force de vivre en vase clos avec lui, elle finira par y laisser sa santé physique et mentale – d'après Philippine, c'est fait !

Grand-père prospecte depuis quelque temps dans les environs et pense avoir trouvé l'idéal : l'institution Les Mésanges, une belle maison avec un parc du côté de Saintes. Pas plus de trente résidents (interdiction de parler de « malades ») et pratiquement une personne attachée aux soins de chacun. Médecin, psy, éducateurs divers, à demeure.

Malgré le coût astronomique de la pension, la file d'attente est longue. Grand-père a rencontré le directeur qui lui a promis de l'avertir dès qu'une place se libérerait : pour grand-père, tout le monde est prêt à se mettre en quatre. Et c'est fait ! Alexander sera admis aux Mésanges fin juillet.

Reste le plus délicat : convaincre tante Monique. Cris, pleurs, colère à l'horizon. Grand-père a décidé de ne pas lâcher, il a rassemblé ses arguments : Les Mésanges ne se trouvent qu'à une petite demi-heure de route du château et tante Monique pourra aller passer avec son fils tous les après-midi que Dieu fait. Alexander sera autorisé à y apporter la plupart de ses trésors, y reconstituer, en quelque sorte, sa forteresse. Et, le plus important, au contact d'autres résidents du même âge, participant aux mêmes activités, dont des bains très surveillés dans une piscine où on a toujours pied, il a une chance de se sociabiliser un peu, bref, d'être moins malheureux et, qui sait, de progresser.

Et là, le miracle se produit. Après quelques protestations et beaucoup de larmes, tante Monique s'incline. On la dirait soulagée. Il est vrai, elle-même l'avoue, en grandissant Alexander devient de plus en plus difficile à gérer.

« Maintenant, il ne reste plus qu'à trouver un mari à la "femme libérée" », a conclu Philippine.

On s'est tordues de rire comme des malades.

*

Pas trop tôt ! On a enfin rencontré la fameuse maître Darcet, qui nous a demandé de l'appeler Gabrielle et nous a promis de nous tenir au courant de la procédure, à laquelle on ne comprend pas grand-chose malgré les explications de grand-père.

L'enquête a commencé. Le juge d'instruction a d'abord reçu la mère de la victime au palais de justice d'Angoulême. Le mauvais pour Nils, c'est quand elle a raconté qu'il avait proposé plusieurs fois à Maria de passer la nuit avec lui dans la cabane, après dégustation de pommes de terre sous la cendre. Bien sûr, elle avait refusé, et voilà !

Mme Alvarez a simplement oublié de dire que c'était Maria qui n'arrêtait pas de tanner Nils avec ça, on était témoins ! Gabrielle a promis d'en parler au juge, mais il ne nous a pas convoquées en raison de notre âge, comme si on n'en savait pas bien plus que les adultes sur notre cousin.

Les autres témoins à charge, tante Monique et tante Béatrix, ont également été reçues par le juge et elles ont raconté la même chose que Mme Alvarez et redit leur conviction que Nils était le coupable.

Enfin, nos grands-parents, maman et Jeanne, sont allés lui vanter la gentillesse, la douceur, la gaieté de Nils : non, il ne pouvait avoir commis une telle atrocité ! Mais comme il s'agissait seulement de paroles dites en leur âme et conscience, forcément ça a moins compté.

Désormais, la famille est coupée en deux : les pro-Nils et les contre Nils. Grand-père nous a convoqués en réunion extraordinaire et il nous a dit que grand-mère et lui respecteraient la vision des choses de chacun mais qu'ils ne supporteraient pas qu'en plus de la terrible épreuve que nous traversions nous offrions le spectacle d'une famille divisée. Aussi, tant à l'intérieur qu'à l'extérieur du château, étions-nous tous priés de garder désormais le silence sur ce qui s'était passé.

Et le règne des « chut ! » a recommencé.

*

En attendant, c'est les vacances ! Côté résultats scolaires, réussite pour tout le monde. En septembre, Philippine et moi entrerons en seconde au lycée. Benjamin nous succédera au collège. Louis-Adrien a décroché ric-rac son bac et, comme il n'a aucune idée de ce qu'il veut faire de son avenir, sinon remporter des coupes de golf en argent avec son nom gravé dessus lors des tournois de France et de Navarre, oncle Baudoin l'a inscrit d'autorité dans une école de commerce à Bordeaux. Des amis à lui l'hébergeront et il reviendra passer les fins de semaine et les vacances au château.

Il a déclaré qu'il était super heureux de quitter ce « trou » – un trou un peu moins douillet depuis quelque temps en raison des événements, erreur judiciaire du siècle ou non. En plus, il y avait à Bordeaux un magnifique terrain de golf, où des centaines de jolies filles n'attendaient que de se rouler à ses pieds.

*

Chaque année, au mois d'août, grand-mère loue une maison sur l'île d'Oléron, près de Saint-Pierre, où s'invite qui veut. Elle adore se baigner et, malgré son âge, quelle que soit la couleur du ciel, tous les matins avant le déjeuner, vous pouvez la voir, en peignoir, bonnet et sandales de caoutchouc, marcher d'un bon pas vers la plage, et c'est parti pour ses cent brasses.

Concernant cet été, elle avait nourri un grand projet : réconcilier Nils avec la mer, lui faire oublier celle du Nord, près de laquelle il avait grandi dans le lugubre mugissement des bateaux, et lui présenter un océan de tous les bleus, tous les plaisirs, sur lequel dansent des voiliers, au bord duquel on s'étend sur du sable fin, pique-nique à l'ombre des pins dans les trilles des oiseaux accompagnant le va-et-vient des vagues. Et la première chose aurait été de le convaincre d'apprendre à nager car, aussi incroyable que cela paraisse, à dix-huit ans, il s'y était toujours refusé.

En certains cas, grand-mère est aussi têtue que grand-père et rêveuse que moi : elle avait décidé que Nils rentrerait champion.

Hélas, le beau projet était à l'eau – le cas de le dire –, mais la location a été conservée. Et comme, pour un empire, mes grands-parents n'auraient manqué un seul « parloir » à la maison d'arrêt d'Angoulême – lundi, mercredi, vendredi, et fouille à l'entrée, là, pas de faveur spéciale, tous à la même enseigne, honte pour certains, colère pour d'autres, tristesse pour tout le monde –, c'est maman et tante Béatrix qui ont géré la maison.

Elle n'a pas désempli. Thibaut est venu avec sa petite amie qu'il rejoignait la nuit à pas de loup dans sa chambre, ce qu'il n'aurait jamais osé faire si nos grands-parents avaient été là. Louis-Adrien a joué au golf, vue sur la mer, Philippine et moi avons pris des cours de tennis, nagé, fait du cheval sur la plage. Philippine est tombée plusieurs fois amoureuse, avec elle, ça ne dure jamais. Moi, malgré le soleil et le sable fin, la danse des voiliers sur les vagues, la danse chaque soir sur la plage ou chez des amis, pour la première fois de ma vie, je n'ai pas aimé les vacances à cause des quatre murs gris que Nils avait pour seul horizon, sans même, pour l'aider, les aiguilles lumineuses de sa montre qui n'a pas quitté mon poignet.

7

Fine

Cette fois, c'est les vacances de la Toussaint, fini soleil et ciel bleu, il pleuvine, il chagrine, le petit bois est tapissé de feuilles mortes.

On vient de changer d'heure : une heure de plus pour dormir. Pendant toute une journée, on n'a parlé que de ça partout en râlant : mauvais pour les enfants, les bêtes, les gens. J'ai tourné pour Nils les aiguilles lumineuses de sa montre. Et si, au printemps prochain, c'était lui qui changeait l'heure ?

En attendant, aujourd'hui, vendredi, c'est le jour de la reconstitution du crime, commis il y a quatre mois au château. Quatre mois déjà ? Seulement quatre mois ? Il me semble à la fois que le temps se traîne comme un escargot et qu'il m'échappe ; c'est le grand tourment de l'espérance.

Le procureur de la République, le juge d'instruction et Gabrielle sont attendus à dix heures. Chaque acteur du drame, Nils, tante Béatrix, tante Monique et Mme Alvarez, venue exprès de Châteaubernard, devra rejouer devant la justice son rôle tenu ce jour-là. Chacun refera les mêmes gestes, prononcera les mêmes paroles. Pour moi, manque un personnage essentiel, le soleil. Et le décor est nu.

Depuis neuf heures, les gendarmes sont de retour dans la cour et, bien sûr, les journalistes qui se pressent à la grille, surveillés par le nouveau gardien, un ancien militaire « sans enfants pour loucher vers le château et ses habitants avec les yeux de la convoitise », se félicite tante Béatrix qui n'aime pas les mélanges.

En dehors des personnes concernées, le reste de la famille a été prié de rester à l'écart. Louis-Adrien a suivi l'oncle Baudoin et Thibaut à Cognac. Maman a emmené Benjamin faire des courses, et ensuite ils déjeuneront avec papa au McDo ; papa a l'art de transformer les mauvais moments en bons.

Nils va venir, revenir au château… Comment imaginer ne pas le voir, au moins quelques secondes, lui adresser un signe ? Philippine et moi avons décidé de rester et reçu ordre de ne pas bouger de la maison. On a évité de promettre. C'est Philippine qui a conçu le plan.

Dès neuf heures trente, on s'est cachées dans le cellier, près de l'arrière-cuisine du château, qui donne en plein sur feu la cabane : aux premières loges, en somme. Par la porte entrouverte, on peut voir les gendarmes qui gardent le lieu du crime, entouré de rubans de plusieurs couleurs pour délimiter les pièces. Et l'horreur, c'est, dans le coin salon (ruban bleu), sur un coussin en plastique, une poupée de chiffon qui représente la victime.

Ça sent le café. Où est Jeanne ? Où sont grand-père et grand-mère ? Dans leur chambre ? Au salon ? Seule certitude, grand-mère est en prière.

« Attention, ça commence », souffle Philippine.

Venant de la cour, voici le procureur, le juge d'instruction, sous des parapluies noirs, et Gabrielle Darcet, coiffée d'un chapeau de pluie. Ils marchent vers la cabane, s'arrêtent à quelques mètres de celle-ci et, pile à cet instant, la porte de l'arrière-cuisine du château s'ouvre et Nils apparaît entre deux gendarmes.

Philippine et moi reculons dans l'ombre. J'agrippe son bras : est-ce vraiment lui ? Ses cheveux sont coupés ras, il a maigri, il a l'air vieux, mais c'est son regard qui fait le plus mal, il le tourne de tous les côtés comme s'il essayait de se souvenir, on dirait qu'il n'est pas là, qu'il n'est plus lui.

« Allez ! » ordonne un gendarme.

Maintenant, il avance d'un pas mécanique vers la cabane qui n'existe plus.

Il porte un anorak kaki dont il n'a pas mis la capuche et la pluie dégouline sur son visage. Il ne la sent pas, ou il s'en fout. Le voici arrivé au coin cuisine (ruban vert). Le juge d'instruction le rejoint, lui dit quelque chose qu'on est trop loin pour entendre et Nils franchit le ruban.

« Grand-père… », souffle Philippine.

Lui est avec M. Alvarez. Grand-père sans parapluie, tête nue, droit comme un arbre qui refuse de plier, M. Alvarez tout courbé, tout cassé. Ils rejoignent le procureur et Gabrielle Darcet qui les salue.

Le juge a lâché son parapluie, il pousse à présent Nils dans le coin salon. Il appuie sur ses épaules pour l'obliger à s'asseoir sur le coussin, lui met de force la poupée dans les mains, je pleure, je crois que Philippine voudrait bien aussi mais elle ne sait pas.

Et voici que surgissent tante Monique, tante Béatrix et Mme Alvarez. Tante Monique et tante Béatrix portent des bottes et une gabardine, Mme Alvarez un manteau noir et un fichu sur la tête. Elle, on ne l'a pas revue depuis son emménagement à Châteaubernard. Contrairement à Nils, il me semble qu'elle a grossi. Avec le malheur, c'est tout l'un ou tout l'autre, le corps manifeste à sa façon.

Toutes les trois s'approchent de la cabane, elles devraient crier : « Maria, Maria, où es-tu ? » Elles se taisent et c'est comme si la pluie tombait plus fort, parlait pour elles. La première, tante Monique, franchit le ruban coin cuisine, suivie par tante Béatrix et Mme Alvarez. Elles font semblant de regarder autour d'elles avant de découvrir Nils, la poupée sur ses genoux. Il joue mal son rôle, il devrait la secouer, la taper pour tenter de la réanimer, il est comme une marionnette dont on aurait cassé les fils.

Puis tante Monique fond sur lui, elle lui arrache la poupée-Maria, tante Béatrix l'a rejointe, elle, à pas lents, mal à l'aise, c'est une femme réservée. Et c'est un film muet jusqu'au moment où Mme Alvarez sort du scénario prévu en poussant des hurlements et en se jetant sur Nils qu'elle se met à frapper de toutes ses forces. Il paraît qu'on ne se remet jamais de la mort d'un enfant, alors, d'une petite fille de quatre ans, assassinée, en plus…

Nils ne se défend pas, il lève juste un peu le bras pour protéger son visage, j'ai caché le mien dans mes mains, je ne sais pas comment Philippine peut regarder ça, je regrette de ne pas avoir suivi maman et Benjamin à Cognac.

*

Les gendarmes se sont précipités sur Mme Alvarez, ils l'ont écartée de Nils et l'ont conduite vers son mari qui s'est redressé pour la prendre dans ses bras. Un autre a aidé Nils à se relever et lui a remis les menottes. Le procureur, le juge et Gabrielle discutaient ; ils avaient dû trouver les acteurs nuls. Grand-père avait disparu, du boulot à faire du côté de grand-mère ?

« À nous ! a ordonné Philippine, tu ne vas pas me lâcher, quand même. »

On est rentrées chez moi en passant par-derrière, on a traversé le salon en courant, déboulé dans la cour, galopé vers Nils avec l'énergie du désespoir même si c'était pour l'espoir qu'on le faisait, au risque de se faire étriper par nos parents, tant pis, tant mieux !

On a rattrapé Nils juste avant qu'il parvienne au fourgon, on a bousculé les gendarmes qui n'en revenaient pas et on a crié ensemble :

« N'aie pas peur, Nils, on ne te lâchera pas. On t'aime ! »

Le soir de son arrivée d'Amsterdam, comme il avait l'air un peu perdu, on avait crié aussi pour le rassurer : « Bonne nuit, Nils, à demain ! » Il s'était arrêté sur les marches du perron, il s'était retourné et il nous avait souri.

Cette fois, il a juste un peu relevé la tête, et lorsqu'il nous a regardées, on s'est demandé s'il nous reconnaissait. Les gendarmes nous ont repoussées et il est monté dans le fourgon sans se retourner, comme si, pour lui, demain, désormais, c'était plus jamais.

*

Cher Nils,

Coucou, c'est moi, Fine. Avec Philippine, on a décidé de t'écrire chacune à notre tour, une fois par semaine, jusqu'à ce que tu reviennes. Comme ça, tu auras des nouvelles fraîches de la famille, et même si tu ne réponds pas, compte pas sur nous pour arrêter.

Je voulais d'abord te dire que j'ai juré de garder ta montre à mon poignet jusqu'au jour où on se reverra et, chaque nuit, je regarde avancer les aiguilles lumineuses pour toi.

Comme grand-père te l'a dit, je suis maintenant au lycée avec Philippine.

Ça n'a pas été facile, mais on a obtenu l'autorisation d'y aller à vélo. Benjamin, lui...

8

Nils

« Mon Dieu, Nils, qu'est-ce que tu as fait ? »

Le cri de tante Monique, suivi de celui de Béatrix, puis des sanglots de Mme Alvarez l'avaient pétrifié.

« Elle est morte, il l'a violée ! »

Morte, Maria ? Violée ? « Il » ? De qui parlait Monique ? Pourquoi ces regards horrifiés sur sa main qu'il frottait machinalement à son short ? Et la porte de la cabane gardée comme pour l'empêcher de s'enfuir, s'enfuir où ? Pourquoi ?

Puis les sirènes : pompiers, gendarmes, Samu. Un homme en blanc muni d'une trousse, courant vers la cabane dont on l'avait extirpé, « Sauvez-la, monsieur, sauvez-la, c'est pas vrai qu'elle est morte ».

Il se souvient d'avoir appelé Jeanne.

Les mots « garde à vue », les menottes, le sombre silence des gendarmes l'encadrant dans le fourgon, le défilé d'un paysage connu devenu étranger, hostile, la terreur coulant en ruisseau glacé entre ses omoplates, ne parlez pas de cauchemar, d'un cauchemar, on se réveille.

Arrivé dans le grand bâtiment de la gendarmerie, on lui demandait ses nom, prénom, date et lieu de naissance. Il s'entendait répondre d'une voix égarée, incertaine, celle d'un autre, d'un coupable ? On prenait ses empreintes, « Appuie ton doigt, là ». Quelqu'un frottait avec des cotons-tiges les taches brunâtres sur ses doigts et sur son short avant de les glisser dans des flacons. Il fermait les yeux : le sang de Maria.

Enfin, dans un bureau aux stores baissés, un homme aux cheveux et moustaches gris, yeux bleus, chemise claire, quatre galons d'argent sur l'épaule.

— Je suis le commandant Delorme. Asseyez-vous.

Le premier à le vouvoyer et d'un coup la voix lui revenait, les mots en vagues pressées se bousculaient à ses lèvres, se mêlant aux sanglots.

— Monsieur, ce n'est pas moi, je vous jure. Je l'ai trouvée comme ça.

— Vous l'avez trouvée comment, Nils ?

Nils…

— Sous le coussin, j'ai cru qu'elle se cachait.

Puis la tête qui ploie sur l'épaule, les tapes pour la réanimer, le sang. Et tout de suite les cris, les accusations. Et lui, ici.

— Calmez-vous, Nils. Je vous entends.

« Entendre », le plus beau mot du monde, qui ouvre la porte au mot « croire ». Il fallait que l'homme à l'épaulette barrée d'argent le croie. Alors, avant de répondre aux questions, il s'efforçait de respirer à fond, mais lorsque le commandant Delorme lui confirmait la mort de Maria Alvarez, les sanglots revenaient et, plus tard, apposant paraphes et signature au bas des papiers que le militaire lui présentait, sa main tremblait comme s'il signait sa propre condamnation.

On lui a ordonné de retirer la ceinture de son short, les lacets de ses baskets, sa montre. Non, pas ma montre, s'il vous plaît ! Sa montre. On l'a enfermé dans une large cellule près de laquelle un gendarme s'est assis de façon à ne pas le perdre de vue – « gardé à vue » –, il est tombé sur la banquette en ciment, s'est roulé en boule, s'est laissé couler dans l'eau noire du port d'Amsterdam.

*

Et puis, quelque part, une voix forte, autoritaire, le redresse, l'espoir le déchire, il se relève, court aux barreaux, les empoigne : « Grand-père ? »

Un gendarme a rejoint son gardien. « Tu as de la visite. »

Dans le bureau du commandant Delorme, c'est bien Edmond de Saint Junien, celui qui est venu le chercher à Amsterdam et qui, en ce jour de terreur, va le sauver une seconde fois. Nils court dans ses bras, de soulagement, il tremble, il claque des dents. Alors son grand-père fait cette chose : il vide les poches de sa veste, transvase clés, monnaie, portefeuille, mouchoir, étui à lunettes, dans celles de son pantalon, puis il la retire et il en recouvre les épaules de Nils, sans un mot, comme ça.

Le commandant a un sourire sous ses moustaches : « Pardonnez-moi, monsieur de Saint Junien. » Il s'approche de Nils et il détache la rosette de la Légion d'honneur au revers du vêtement et la rend à son propriétaire. « Je vous laisse quelques minutes… »

Le grand-père et le petit-fils sont seuls, debout l'un en face de l'autre.

Le grand-père approche son visage de celui du petit-fils et, les yeux au fond des siens, il demande :

— Est-ce toi ?

Nils pose le doigt sur la veste, là où se trouvait la décoration.

— Ce n'est pas moi, parole d'honneur !

Alors, Edmond de Saint Junien a un sourire tranquille.

— Sache que pas une seconde, ni ta grand-mère ni moi ne t'avons cru coupable. Elle m'attend dans la voiture. Elle m'a chargé de t'embrasser pour elle.

Il se penche vers lui et il appuie ses lèvres sur ses joues, profondément, longuement. Et cette fois c'est Nils qui s'écarte : vite, tout dire, tout raconter, avant qu'on ne les sépare. Dire que tante Monique, tante Béatrix et la gardienne se sont trompées, il a trouvé Maria comme ça, les tapes, c'était pour la réanimer, le sang, c'était son oreille, le diamant…

Mais déjà, à la porte laissée entrouverte, le commandant Delorme réapparaît. Son grand-père le désigne.

— Je ne peux pas rester plus longtemps, mon Nils. C'est grâce… à un ami que j'ai eu le droit de te voir quelques minutes. Je vais rentrer et tirer les choses au clair avec tes tantes, ne t'en fais pas. Et dès demain, tu auras un avocat à qui tu pourras tout raconter. N'aie pas peur, on va te tirer de là !

Une dernière fois, il le serre contre lui, déjà les gendarmes l'encadrent.

— Grand-père !

Le cri de détresse fige Edmond de Saint Junien. Nils lève le poignet d'où la montre offerte par ses cousines lui a été enlevée. « Pour t'assurer que tu es bien arrivé, que tu ne voles pas sur les ailes d'un jars », avait plaisanté Philippine.

Edmond incline la tête : message reçu.

9

Nils

« Ton avocate t'attend. »

Est-ce encore le matin ? Déjà l'après-midi ? La lumière du jour n'entre pas dans la cellule où, durant la nuit, un clochard l'a rejoint qui, entre deux épais ronflements, insultait la vie. Il a semblé à Nils qu'il n'avait pas dormi : dans sa tête, cris, sanglots, hurlements de sirène tournaient sans relâche. Dans ses bras gisait une petite fille qu'il suppliait d'ouvrir les yeux, réveille-toi, Maria, réveille-toi. Et s'ils disaient vrai ? Si c'était lui ? Sans la veste protectrice de son grand-père, il serait devenu fou.

On l'a conduit aux toilettes dont on a laissé la porte ouverte, il a bu un bol de café glissé entre deux barreaux, il ne saurait dire à quel moment le clochard est parti. Après une douche, sous les yeux d'un gendarme – gardé à vue –, il a remis ses vêtements souillés de la veille, la veste, la veste… On lui a proposé un sandwich dont il n'a réussi à grignoter que quelques bouchées.

Il est trois heures et demie de l'après-midi à la pendule ronde fixée au mur de la petite pièce, meublée d'une table et de deux chaises, où une jeune femme aux cheveux blonds en queue-de-cheval, yeux clairs, sourit en lui tendant la main. Ce sourire et, à la fenêtre, ce ciel bleu, ce soleil, rendus d'un coup, lui font tourner la tête.

— Bonjour, Nils. Je m'appelle Gabrielle Darcet. Je viens de la part de ton grand-père. Tu permets que je te tutoie ?

Il acquiesce, intimidé. Elle désigne le sac de toile posé contre le mur.

— Quelques vêtements propres, préparés par ta grand-mère.

Instinctivement, il resserre la veste d'Edmond autour de ses épaules. De nouveau, l'avocate sourit.

— N'aie pas peur, tu as le droit de la garder ! On s'assoit ?

Ils prennent place l'un en face de l'autre. Sur la table, il y a une bouteille d'eau en plastique et deux gobelets. Elle se penche vers lui, elle sent bon, elle sent « dehors » ; et il a l'impression, tout doucement, d'émerger.

— Je viens de rencontrer longuement ton grand-père. Avant toute chose, sache qu'il m'a convaincue de ton innocence.

Des larmes de soulagement affluent, elles bloquent les mots et incendient les yeux de Nils. Tranquillement, comme si elle ne remarquait rien, la femme à queue-de-cheval pose sur la table un carnet à spirale et un stylo. Il remarque seulement ses boucles d'oreilles, deux losanges dorés, des clips, pas de celles qui exigent d'avoir les oreilles percées.

— J'ai également parlé avec le commandant Delorme et pris connaissance du rapport que tu as signé hier, poursuit-elle. Maintenant, je veux t'entendre *toi*, Nils. Tu vas tout reprendre depuis le début et me raconter ce qui s'est réellement passé dans cette foutue cabane.

C'est la « foutue » cabane qui desserre la gorge de Nils, suffisamment pour que d'une voix rouillée, enrouée, qu'il a du mal à reconnaître, il demande : « Le début, c'est quand j'y suis allé la première fois ? »

Sur sa première visite à la cabane ce jour-là, personne ne l'a encore interrogé.

L'avocate acquiesce, ouvre la bouteille d'eau, remplit les gobelets : « Bois d'abord. » Et lorsqu'il vide son verre d'un trait, elle recommande : « Ne te presse pas, nous avons tout le temps. »

— Il n'y avait presque plus personne au château, j'ai décidé de ranger la cabane.

L'avocate prend son stylo.

— Il était quelle heure ?

— Vers les onze heures, je crois.

Elle note.

— Et tu y es resté longtemps ?

— Un peu plus d'une heure, il y avait pas mal de désordre. Après, j'ai rapporté la vaisselle sale au château pour la laver.

L'avocate sourit en inclinant la tête.

— Avec Jeanne, la cuisinière, ton grand-père m'a dit. Jeanne aussi est de ton côté. Combien de temps êtes-vous restés ensemble ?

— Jusqu'à deux heures.

Il revoit les aiguilles à l'horloge murale. Jeanne avait dit : « Il faut que j'aille faire tourner mes machines. »

— D'après ce que j'ai compris, la cabane est tout près.

— En passant par l'arrière-cuisine, à moins de deux minutes.

— Et sur le chemin, tu n'as rien entendu ? Aucun bruit de pas, comme une fuite ?

— Rien.

Seul le grésillement du soleil, même les oiseaux se taisaient.

— La porte était entrouverte, je croyais pourtant l'avoir refermée.

L'avocate dresse l'oreille.

— Tu « croyais », Nils ? Ou tu es sûr ? Réfléchis bien, c'est important.

— Je crois que je suis sûr.

— Et comment se ferme-t-elle, cette porte ?

— Avec un verrou. Pas par peur d'un voleur, il n'y a rien de précieux dans la cabane. À cause du vent qui pourrait l'ouvrir, un animal y faire des dégâts.

— Ce verrou, Maria était-elle assez grande pour le tirer ?

Maria… la première fois que l'avocate prononce le prénom. Le cœur de Nils se serre.

— En se dressant sur la pointe des pieds. Mais elle savait très bien que c'était interdit…

Maria qui n'en faisait qu'à sa tête.

— Donc, tu pousses la porte, enchaîne l'avocate d'une voix douce. Que vois-tu ?

— À nouveau tout en l'air, même pire qu'avant, je ne suis pas content. Et puis, au fond du coin salon, la robe qui dépasse d'un coussin.

Il s'interrompt. Va-t-il devoir tout raconter une nouvelle fois ? Gabrielle lui reverse de l'eau. Il boit. Tout son temps…

— J'y suis allé, j'ai repoussé le coussin, j'ai redressé Maria…

Et puis la nuque qui ploie, le sang sur ses doigts, le diamant arraché.

Et tout de suite, à la porte, ses tantes, suivies de Mme Alvarez, les cris.

Là, il ne peut plus retenir ses larmes, il prend sa tête dans ses mains.

C'est cette nuque qui ploie comme la tige d'une fleur, une tulipe sur le point de perdre ses pétales. Il lui semble maintenant qu'à cet instant il a su : « Réveille-toi, Maria, réveille-toi ! »

L'avocate lui tend une poignée de mouchoirs en papier. Par la porte entrouverte, le visage interrogateur d'un gendarme apparaît, auquel elle fait signe : « Ça va. »

— Une dernière question, Nils, d'accord ?

Il incline la tête.

— Quelles étaient tes relations avec Maria ? Vous vous entendiez bien ?

— C'était comme une petite sœur. Mes cousins la trouvaient collante, ils la fuyaient. Comme elle n'allait pas encore à l'école, c'était moi qu'elle collait.

— Et sa mère, Mme Alvarez, qu'est-ce qu'elle en disait ?

— Elle la grondait : « Arrête d'embêter M. Nils. » Je lui répondais qu'elle ne m'embêtait pas, au contraire.

*

L'avocate a refermé le carnet et elle l'a remis dans son sac avec le stylo. Puis elle a raconté à Nils, d'une voix un peu trop détachée, que, cette nuit, le feu avait pris à la cabane. On avait dû faire appel aux pompiers, qui avaient tout noyé avec leurs lances. « On ne retrouvera jamais la boucle d'oreille, ni la petite culotte de Maria », a-t-elle ajouté avec un soupir.

— Mais elle n'en portait pas !

Gabrielle Darcet a ouvert de grands yeux.

— Maria ne portait pas de culotte ?

— Presque jamais. C'était même la bagarre avec sa mère qui disait que déjà, bébé, elle ne supportait pas les couches.

— Et pour hier, tu es sûr ?

— Quand j'ai repoussé le coussin, c'est la première chose que j'ai vu. J'ai vite baissé sa jupe.

Tante Monique l'avait relevée et elle avait crié : « Il l'a violée ! » L'avocate a repris son carnet et noté.

— Ce feu, il a pris comment ? a demandé Nils.

— On soupçonne le gardien, M. Alvarez.

Ils avaient construit la cabane ensemble, la cabane où Maria… Bien sûr !

Gabrielle Darcet a appris à Nils qu'ils se retrouveraient le lendemain au palais de justice d'Angoulême où il serait entendu par le procureur de la République. La garde à vue se terminait. Après ? Deux hypothèses, lui a-t-elle expliqué : sa mise en détention ou sa remise en liberté. C'est bien sûr cette dernière qu'elle demanderait en s'appuyant sur ce qu'il venait de lui apprendre ; elle allait rentrer chez elle pour y travailler.

« Toi, demain, essaie de répondre le plus calmement possible aux questions qui te seront posées, ne cherche pas à t'excuser, n'oublie jamais que tu *es* innocent. »

Lorsqu'elle s'est levée, le bleu du ciel s'adoucissait

derrière la vitre. Sursis ? Trêve ? Armistice ? Elle s'est approchée de lui et elle l'a embrassé sur les deux joues.

« De la part de Philippine et Fine, c'est bien ça, je ne me trompe pas ? »

Oh non !

« Elles sont certaines que tu n'as rien fait, elles espèrent te revoir très vite. »

Très vite ?

« Le procureur t'entendra », avait dit l'avocate.

« Entendre », le plus beau mot du monde, qui ouvre la porte au mot « croire ». Alors, demain ?

10

Nils

Quand il était enfant et que Roselyne nouait ses longs cheveux blonds en chignon et les cachait, comme un péché, sous un foulard noir, Nils savait qu'elle s'apprêtait à l'emmener dans l'église grise, à haut mât, non loin du port, et les battements de son cœur s'accéléraient.

À l'intérieur de cette église se trouvait, dans un profond renfoncement, éclairée par la flamme de centaines de bougies, la « chapelle des vœux ». Les murs étaient tapissés de plaques de marbre de différentes tailles selon le porte-monnaie de celui ou celle dont le nom était gravé, en lettres dorées, au-dessus du mot « MERCI », merci à la Vierge bleu et blanc, au visage si doux, tenant l'Enfant Jésus sur ses genoux. Merci de m'avoir entendu, d'avoir calmé ma peine, exaucé ma prière.

Le vœu que formaient les lèvres de sa mère après avoir allumé sa bougie, Nils n'en avait jamais rien su – un secret entre la Vierge et la pécheresse ? –, mais il attendait avec impatience le jour où, sur le mur, une plaque portant leurs deux prénoms et le mot

« MERCI » s'ajouterait aux autres. Et parfois, il craignait que la place ne manque.

Lorsque Roselyne était tombée malade, même s'il n'y croyait plus trop, il était allé dans la chapelle des vœux allumer une bougie pour qu'elle guérisse. Sa prière n'avait pas été exaucée, mais il aimait à penser que, en compensation, Marie lui avait envoyé son grand-père. Ce n'était pas la pieuse Delphine qui l'aurait détrompé.

Ce dimanche matin, jour de la comparution devant le procureur de la République, écoutant de sa cellule sonner les cloches des églises de Cognac, Nils a allumé une bougie devant la Vierge d'Amsterdam et il a fait le vœu pas très catholique que, si ce soir il était libéré, il reviendrait dès le lendemain à la gendarmerie avec Edmond remercier le commandant Delorme, le premier à l'avoir vouvoyé et traité avec respect.

Après s'être douché et rasé, toujours sous la surveillance d'un gendarme, il a revêtu le jean et la chemise propres trouvés dans le sac préparé par sa grand-mère, chaussé les espadrilles sans lacets, et, plutôt que le blouson à sa taille, il a remis la veste protectrice. Il a eu droit à un plateau avec du café et un sandwich que, cette fois, il s'est obligé à manger jusqu'à la dernière miette – dernière miette de prison ? Il a espéré au moins apercevoir le commandant Delorme, il n'a pas eu cette chance : demain ?

Traversant la cour entre deux gendarmes, se dirigeant vers le fourgon, de nouveau menotté, le même soleil féroce que la veille l'a frappé et, pensant à sa bougie dans la chapelle des vœux d'Amsterdam, pour la première fois, il a regretté que le ciel ne soit pas gris comme au temps de son innocence.

De Cognac à Angoulême, il y a une cinquantaine de kilomètres. Ses cousins lui avaient appris que chaque année, en janvier, un festival de la BD y était organisé, et il s'était réjoui à la perspective de s'y rendre avec eux. Où serait-il au début de l'année prochaine ?

Assis sur la dure banquette, sous l'œil ennuyé de ses gardiens – dimanche ? –, cherchant à attraper des morceaux de ciel, soudain l'angoisse lui a tordu le ventre : Marie… Maria… La flamme de la bougie a vacillé.

Son avocate l'attendait dans la cour, derrière le palais de justice, pour échapper aux caméras des journalistes. Elle était vêtue de façon plus stricte que la veille, un tailleur-pantalon avait remplacé la jupe et ses cheveux blonds étaient rassemblés en un sage chignon. Elle lui a adressé un sourire confiant : « Ça ira ! » Le petit groupe a longé les couloirs déserts jusqu'à une pièce où une femme vêtue de gris, lunettes à épaisse monture, assise devant un ordinateur, s'est levée lorsqu'ils sont entrés. Elle a serré la main de Gabrielle Darcet, son regard est passé brièvement sur Nils, elle a pris son téléphone et prononcé quelques mots avant de raccrocher.

« Monsieur le procureur va vous recevoir. »

Avant qu'il ne passe la porte, on lui a retiré les menottes. Un policier est resté en faction derrière celle-ci.

*

Tout de suite, Nils a compris que non, ça n'irait pas. Au sortir de ce vaste bureau aux murs peuplés de livres reliés, protégés par des vitrines, livres de droit – le bien et le mal, le blanc et le noir, parfois le rouge sang –, on lui remettrait les menottes. Dans le dossier portant son nom, posé sur la longue table de bois devant l'homme au visage sévère, cris et accusations retentiraient trop fort, les sanglots d'une mère pèseraient trop lourd, et aussi le silence insupportable, inacceptable, d'une petite fille de quatre ans dont il sentait encore le poids entre ses bras.

« Sois calme, ne cherche pas à t'excuser, n'oublie pas que tu *es* innocent », lui avait recommandé son avocate la veille.

C'est l'enfant d'Amsterdam, le petit garçon honteux, l'adolescent condamné à la solitude – condamné ? – qui a répondu en bredouillant aux questions du procureur. Oui, il était bien présent dans la cabane lorsque ses tantes et la mère de la victime y étaient entrées. Non, il ne la frappait pas, seulement de petites tapes sur les joues pour la réanimer. Le sang sur ses doigts ? Son oreille blessée. Sur son ventre ? Il ne l'avait pas vu.

« Expliquez-vous, expliquez-vous… », ne cessait de demander le procureur. Comment expliquer l'impossible, l'impensable ? Et, lorsqu'il a avoué – « avoué » ? – qu'il ne parvenait toujours pas à croire que Maria était… partie, qu'il ne la reverrait plus, il a pleuré.

Très vite, son avocate a pris le relais et dit sa conviction, partagée par une partie de la famille du prévenu, que celui-ci ne pouvait pas avoir commis le crime odieux dont on l'accusait. Elle a parlé du premier passage de Nils dans la cabane, deux heures avant le drame, passage non mentionné dans le dossier, ainsi que de l'incendie suspect qui l'avait ravagée, détruisant toutes les traces éventuelles du véritable meurtrier. En raison de son jeune âge, juste majeur, elle a demandé que M. le procureur veuille bien remettre Nils de Saint Junien en liberté, au moins jusqu'aux résultats de l'autopsie, attendus en milieu de semaine prochaine, et a proposé qu'il se présente chaque jour à la gendarmerie.

Le visage impénétrable, ses longues mains, dont l'une portait une alliance, l'autre une chevalière, posées devant lui, le procureur l'a écoutée avec patience, puis, sans colère, d'une voix neutre, la même qu'il devait avoir pour absoudre, le bien, le mal, le blanc, le noir, le rouge sang, il a décidé de la mise en détention du prévenu jusqu'au procès.

Nils ne retournerait pas demain à la gendarmerie remercier le commandant Delorme. Il ne se rendrait pas, en janvier prochain, dans la ville du duc Charles, au Festival international de la BD. Certains parents ou autres associations déplorent que certaines bandes dessinées soient trop violentes, qu'y coule trop de sang, ainsi que dans ces films, regardés par les enfants à la télévision : et la mort devient un jeu comme un autre, et quand ils n'en sont pas eux-mêmes victimes, ils s'étonnent que celui qu'ils ont frappé ne se relève pas.

Il a été incarcéré le soir même à la maison d'arrêt d'Angoulême.

11
Nils

La prison, c'est d'abord une odeur, celle du désinfectant qui flotte partout, imprègne tout, dont les mous tentacules jaunâtres s'insinuent sous les vêtements, se glissent jusque dans la nourriture, vous collent à la peau, en tapissent l'intérieur, et vous avez l'impression qu'elle fera à jamais partie de vous.

C'est un bruit incessant, lourdes ouvertures et fermetures de portes, cliquetis de clés, tintements de vaisselle, cataractes de chasses d'eau, ordres, appels, tambourinages contre les murs : bruits de « dedans ».

C'est la notion du temps qui, très vite, se perd : quelle heure, quel jour, quel mois ? L'horloge aux aiguilles figées, le calendrier perdu, et l'on comprend ces croix tracées sur les murs pour ne pas oublier qu'existe un monde avec des levers de soleil embués de rosée, des pleins midis à l'ombre des parasols, des soirées joyeuses aux terrasses des cafés, des balades sur les boulevards, au bord d'un fleuve nonchalant, un monde où, la mauvaise saison venue, les soirées peuvent être si douces à l'intérieur de la maison, autour d'une cheminée, dans la chaleur d'une cuisine, les tendres gestes du quotidien, avec, au ciel, ces étoiles auxquelles certains savent donner des noms qui parlent passé et avenir, et lient jadis à toujours.

La prison, ce sont des « si » lancinants et vains. Si Nils n'avait pas rapporté la vaisselle de la cabane au château – après tout, elle pouvait attendre ! S'il y était retourné en compagnie de Jeanne – il avait songé à le lui proposer. Si, ce jour-là, son grand-père l'avait emmené, comme souvent, avec lui à Cognac. Si, si, si…

La prison, c'est aussi la peur.

Cet homme qui, lors de la promenade dans la cour, surgit brusquement devant lui et colle son front au sien.

« Tu sais ce qu'on leur fait, ici, aux violeurs de petites filles ? »

Et ce geste tranchant vers sa gorge, avant qu'un gardien n'intervienne, sans se presser.

« Violeur… » Lorsque son avocate a appris à Nils que Maria n'avait subi aucun sévice sexuel, il a été soulagé : au moins cette horreur aura été épargnée à sa « petite sœur ».

En tant que « jeune majeur », il est protégé. Il partage la cellule d'un détenu pacifique dont le délit est d'avoir joué les Madoff en dépouillant de leurs économies un certain nombre de retraités crédules. La quarantaine, Louis Garnier est marié et père de deux ados dont l'un aura bientôt l'âge de Nils, alors gare à celui qui songerait à s'attaquer à celui-ci.

Et à Louis également il arrive de pleurer : la peur que sa femme le quitte, lui enlevant ses enfants.

Lorsqu'il a rencontré pour la première fois Jean Delacroix, un psy portant le nom d'un artiste qui mettait la guerre sur ses toiles, Nils a craint un piège. Mais très vite la confiance s'est installée entre lui et le praticien qui cherchait à rétablir la paix dans la conscience de ses interlocuteurs, en les aidant à y faire la lumière. Assis en face de lui, ses lunettes posées sur la table, le front sillonné comme par des lignes de vie, ses yeux gris-confidence dans les siens, semaine après semaine, il a écouté Nils lui livrer des moments sensibles de son enfance que, jusque-là, il n'avait osé confier à personne, sédiments de honte, culpabilité, remords, profondément enfouis dans sa mémoire. Un dialogue s'est instauré.

— Quand vous avez appris l'activité de votre mère, qu'avez-vous ressenti ?

— D'abord, je n'ai pas bien compris, après, je n'ai pas voulu y croire. Mado m'a expliqué que maman faisait ça pour que Werner ne nous sépare pas.

— Et vis-à-vis de Werner, qu'éprouviez-vous ? De la colère, de la haine, l'envie de venger votre mère ?

— Je ne le voyais presque jamais, c'était… comme une sorte d'ogre lointain. J'ai été content quand il s'est noyé.

— Aviez-vous des amis ?

— Je n'en voulais pas. Je me disais que, de toute façon, quand ils apprendraient, ils se barreraient, alors à quoi bon ?

— Des distractions ? Des plaisirs ?

— J'aimais bien travailler le bois.

Construire des châteaux et, la nuit, s'envoler sur les ailes d'un jars vers celui de son grand-père. Mais cela, il l'a gardé pour lui.

Inévitablement, le mot « sexualité » a été prononcé et, détournant la tête, Nils a confié au médecin qu'il n'avait encore jamais… connu vraiment une fille, ni même échangé un vrai baiser. À Amsterdam, il n'en fréquentait pas, et cela faisait un peu plus de deux mois qu'il était arrivé en France, il n'avait pas eu l'occasion d'en rencontrer, autres que ses cousines, lorsqu'il avait été arrêté.

Le psy n'a pas insisté et il lui en a été reconnaissant.

Celui-ci le croyait-il lorsqu'il se disait innocent ? Le mot « juger » lui semblait étranger : pas son boulot.

Au fur et à mesure que Nils livrait son passé, se livrait, comme de gros nœuds se desserraient dans sa poitrine, il respirait mieux. Bien sûr, c'était douloureux, cela ne l'est-il pas forcément de grandir, quitter les ailes d'un jars, cesser de planer, mettre pied à terre. Pas si ferme que ça, la terre. Mais, certaines zones d'ombre dissipées, les mots mis sur les plaies, il arrivait à Nils de se dire que, s'il avait rencontré Jean Delacroix avant, il s'en serait sans doute moins mal tiré face aux « Expliquez-vous » du procureur.

Si, si, si…

12

Nils

En prison, c'est le mot magique : « Parloir » ! Trois après-midi par semaine, lundi, mercredi, vendredi, en compagnie de ses grands-parents. Quarante-cinq minutes qui permettent tout simplement à Nils de conserver un lien avec la vie.

Dehors, ce sont les grandes vacances et, comme chaque année, la famille passe le mois d'août à Oléron, une île au bord d'une mer comme il n'en a jamais connu, parsemée de voiles claires, bordée de sable fin, dans une vaste maison blanc et roux. Grâce aux photos prises à son intention et qu'il a le droit de garder, il y est un peu. Des fenêtres, il ne voit que du bleu, azur ou marine. Les pieds dans le sable, ses cousines en maillot de bain lui font signe, et au poignet brandi de Fine il reconnaît sa montre. Benjamin prend la pose près de sa planche à voile, Louis-Adrien pavoise, son sac de golf à l'épaule.

Et, complétant les images, sur des cartes postales, des paroles d'espoir, des « À bientôt », et surtout des « Nous », qui éclairent ses nuits.

Lorsque ses grands-parents lui ont appris qu'Alexander vivait désormais dans une institution où il côtoyait d'autres jeunes de son âge, atteints par la même maladie, Nils en a été heureux pour lui. Il aimait bien Alexander, il était même parvenu à l'apprivoiser. Mais il ne donnera plus jamais le nom de « tante » à celle qui l'a soupçonné d'avoir violé Maria, pas plus qu'à la mère de Philippine qui l'a crue.

Gabrielle Darcet vient régulièrement le voir afin de le tenir au courant des avancées de l'enquête. Le voisinage a été interrogé sur l'éventuel passage d'un inconnu, mais ce jour-là, à midi, moment de la plus forte chaleur, les gens se calfeutraient chez eux. Les recherches s'orientent à présent du côté des hôpitaux psychiatriques, des malades récemment libérés après des crimes semblables commis dans la région. On n'en est qu'au début, on finira bien par trouver une piste et Nils peut compter sur son avocate ainsi que sur son grand-père pour ne jamais abdiquer.

« Figure-toi que tes cousines ont décidé de mener leurs propres recherches », s'amuse-t-elle.

Elle les a rencontrées et semble les apprécier. Nils ne se lasse pas de l'entendre en parler.

Septembre. Les photos sont de rentrée des classes, Benjamin au collège, Philippine et Fine au lycée. Dans le domaine, la vigne s'empourpre. Le branle-bas de l'automne bat son plein, sous les rayons affaiblis du soleil se fanent les couleurs du ciel, de dernières flambées rousses aux arbres annoncent la reddition de l'été.

Novembre, la Toussaint, mois de deuil.

« Prépare-toi à un moment difficile, Nils. Tu vas devoir rentrer au château pour la reconstitution du crime », l'a averti Gabrielle Darcet.

*

La nuit précédant celle-ci, comme il ne parvenait pas à dormir, le gentil Louis Garnier, son codétenu, lui a offert quelques comprimés pour l'aider à trouver le sommeil. Sans doute Nils en a-t-il trop pris, trop tard, il garde du « moment difficile » des souvenirs brumeux, et d'avoir joué, dans un décor qui n'était pas le bon, un rôle qui n'était pas le sien, sous le regard du procureur de la République, du juge d'instruction et de son avocate.

La chaleur intense avait fait place à un sournois crachin, comme une vengeance mesquine du ciel. À la place de la cabane, un espace entouré de rubans de différentes couleurs où le juge d'instruction l'a poussé, obligé à s'asseoir sur un coussin avant de lui mettre de force une poupée de chiffon dans les mains. Il se souvient de Mme Alvarez le frappant en hurlant le nom de sa fille, du regard de son grand-père, le conjurant de tenir bon tandis qu'on le ramenait au fourgon, de n'avoir eu, à cet instant, qu'un souhait, partir, rentrer, disparaître. Mourir ?

Et soudain, comme dans un rêve, surgissant tout près du sien, les visages de ses cousines, et deux voix claires, deux cris.

« N'aie pas peur, Nils, on ne te lâchera pas. »

A-t-il entendu aussi : « On t'aime » ?

*

Cher Nils, coucou, c'est moi, Fine...

La première lettre est arrivée quelques jours plus tard, remise à lui par Gabrielle.

Avec Philippine, on a décidé de t'écrire chacune à notre tour, une fois par semaine, jusqu'à ce que tu reviennes. [...] *Et même si tu ne réponds pas, compte pas sur nous pour arrêter.*

Il n'a pas répondu tout de suite : respect humain ? Mais que raconter, quoi de nouveau dans son paysage à lui, quoi de souriant, de beau ? Sa première lettre – quelques mots – a été, comment faire autrement ? pour remercier de la carte musicale éclaboussée de paillettes reçue à l'occasion de Noël, accompagnée d'un colis plein de douceurs sucrées qu'il a partagées avec le bon Louis Garnier.

Une réponse entraînant l'autre, une correspondance s'est nouée et l'écriture, avec la lecture de nombreux ouvrages empruntés à la bibliothèque, est devenue le passe-temps favori de Nils. À raison d'une lettre par semaine, quatre par mois, il n'a plus eu besoin de compter les jours.

C'est le printemps, six mois ont passé : vingt-quatre lettres.

Et celle-ci, qui va faire basculer son avenir.

13
Nils

Coucou, Nils, c'est Philippine. Quelques news fraîches de la famille, ok ?

Pour faire plaisir à grand-mère, on est allées hier, Fine et moi, rendre visite à Alexander aux Mésanges. Figure-toi qu'il nous a reconnues tout de suite. Il a même eu l'air content de nous voir ; pas comme sa mère...

Il a plein de presque-copains avec lesquels il joue au ballon dans une piscine en riant à vous fendre le cœur. On a eu le droit de jeter un coup d'œil à sa chambre, un vrai palais où, dans un coin, il a rassemblé ses objets sacrés, ou ses sacrés objets, comme tu préfères : ses jouets pourris, ses livres d'images en lambeaux, son château fort branlant. Il a aussi un mur qu'il a le droit de barbouiller à sa guise, je te dis pas le résultat. Enfin, il nous a semblé plutôt heureux (malgré les rires à fendre le cœur) et, tu le connais, du moment qu'il a son ours, même si le pauvre a perdu un œil et que le remplaçant n'a pas tout à fait la même couleur...

Nils lâche la lettre de Philippine, soudain, son cœur s'accélère : il y a quelque chose, là…

« … Du moment qu'il a son ours. »

L'ours Baloo.

Il ferme les yeux, s'oblige à se souvenir, même si depuis la douloureuse reconstitution, il évite. Cette fois, il le faut : Baloo, l'ours Baloo…

Ce vendredi-là, lorsqu'il vient remettre de l'ordre dans la cabane, la peluche est dressée dans le coin salon, contre le mur de rondins. Il s'en réjouit : Alexander est passé. Ce n'est pas la première fois qu'il y laisse son précieux ami, comme pour le charger de garder le second refuge qu'il s'est trouvé.

Nils reprend la lettre, sa main tremble.

« … même si le pauvre a perdu un œil et que le remplaçant n'a pas tout à fait la même couleur… »

Souviens-toi, Nils, souviens-toi.

Il revoit les deux bonnes billes marron dans le poil râpé. Semblables, oui, il en est certain, il l'aurait remarqué sinon.

« … même si le pauvre a perdu un œil… »

Allez, Nils, avance, avance. Baloo est-il toujours là quand tu reviens dans la cabane après avoir déjeuné au château ?

Il se remémore le coin cuisine dévasté, dans le coin salon les coussins sens dessus dessous, le bout de robe qui dépasse : « Maria, Maria, je sais que tu es là. » Il y va, repousse le coussin sous lequel il croit qu'elle joue à se cacher…

Non ! Pas d'ours, PLUS d'ours, debout contre le mur de rondins, il en a la certitude, le coussin glisse à la place que la peluche occupait.

Un vertige le saisit : quelqu'un est venu le chercher durant son absence.

Alexander ? Monique ?

« Essaie de te souvenir des détails, ce sont souvent ceux qui paraissent les plus insignifiants qui sont les plus importants », n'a cessé de lui répéter Gabrielle.

Ce n'est pas un détail, c'est une bombe ! Le voici en sueur. Par chance, Louis Garnier n'est pas là pour s'inquiéter : « Ça ne va pas, petit ? Qu'est-ce qui t'arrive ? »

Le meilleur ? Le pire ? Il ne sait pas.

Il ferme les yeux de nouveau, esquisse un scénario.

Midi trente, il est avec Jeanne au château. Pour Maria, c'est l'heure de la sieste. Elle s'échappe de chez elle alors que sa mère somnole devant la télé, trottine jusqu'à la cabane, fait glisser le verrou, se sert dans le garde-sucreries, repère l'ours dans le coin salon. Une aubaine, elle sait très bien à qui il appartient et aussi que nul autre qu'Alexander n'a le droit d'y toucher. Elle y court, sans doute le prend-elle dans ses bras, s'amuse-t-elle à le nourrir : « Mange, mon Baloo, mange. »

Et voici Alexander revenu chercher son ami. Le découvrant entre les mains de Maria, il entre en fureur, se précipite sur elle. Inconsciente du danger, la fillette lui résiste, telle que Nils la connaît, elle est bien capable de s'être moquée de lui. Dans la bagarre qui s'ensuit, Baloo perd un œil, dans sa folie, Alexander arrache à Maria sa boucle d'oreille, elle hurle de douleur, pour la faire taire, faire disparaître celle qui a osé s'approprier, souiller, abîmer son bien le plus précieux, il prend un coussin, appuie, appuie sur le petit visage, jusqu'au silence.

Et après ?

Nils a peine à respirer : le pire, oui, l'infamie s'ajoutant à l'horreur, Monique forcément complice.

Dans les dépendances, comme au château, la porte de l'arrière-cuisine ouvre sur le petit bois. De celle de Monique à la cabane, il n'y a qu'une cinquantaine de mètres. Y a-t-elle surpris Alexander ? Ou est-ce lorsque celui-ci est rentré avec l'ours éborgné, du sang sur ses mains et sur ses vêtements, qu'elle a compris qu'il avait commis l'irréparable ?

Elle n'hésite pas une seconde : elle doit sauver celui pour lequel elle a tout sacrifié. Elle passe son fils à la douche, cache les vêtements tachés, lui administre les sédatifs prescrits par le médecin, afin qu'il dorme lorsque Maria sera retrouvée.

Si simple, la suite, si savamment organisée comme savent le faire certains névrotiques pour se protéger. Monique a besoin d'un témoin. Sitôt Alexander endormi sur le divan du salon, elle téléphone à Béatrix sous prétexte de lui emprunter son mixeur. Obligeamment, celle-ci vient le lui apporter.

Monique guette-t-elle les alentours de la cabane ? Voit-elle Nils y retourner ? Si oui, elle tient son bouc émissaire, pauvre bouc agneau ! Lorsque retentissent les appels de Mme Alvarez cherchant Maria, elle propose son aide, Béatrix suit, elle les entraîne vers la cabane.

« Mon Dieu, Nils, qu'est-ce que tu as fait ? »

*

Avec quelle impatience, quelle fébrilité, il a attendu la visite de son avocate, le surlendemain matin. Il avait eu tout le loisir de compléter le scénario : la délirante accusation de viol, lancée par Monique contre lui, après sa découverte du sang sur le ventre de Maria, l'interview accordée au journaliste de *Charente Libre*, pour enfoncer Nils. Enfin, son accord inattendu pour le placement d'Alexander aux Mésanges. Afin de le protéger de lui-même et de l'éloigner de l'enquête ?

« Une question de temps », avait toujours affirmé Gabrielle Darcet. Selon l'autopsie, le meurtre avait été commis entre treize et quatorze heures.

Tout collait.

L'avocate a écouté Nils sans l'interrompre, le visage grave, tendu, et, pour la première fois, sans sourire. C'était lui qui avait pris des notes.

Lorsqu'il a eu terminé, elle est restée silencieuse durant de longues secondes, puis elle a prononcé un seul mot :

« Oui ! »

Et, dans ce « oui », qui validait ses soupçons, Nils a entendu le même espoir et la même souffrance qui le déchiraient depuis la lecture de la lettre de Philippine. En désignant le coupable et sa complice, il allait briser le cœur de celui qui était venu le chercher à Amsterdam, le premier à avoir cru en son innocence, le sauvant ainsi deux fois.

Edmond !

14

Gabrielle

D'emblée, elle avait été conquise par la noblesse d'Edmond de Saint Junien – quel mot pouvait mieux le définir ? On parle de noblesse de robe, d'épée, lui, c'était la noblesse de cœur et l'élégance des sentiments.

Ce regard droit, à la fois exigeant et soucieux de vous, cette rigueur dans la pensée, cette dignité, et surtout cette bravoure dans l'épreuve terrible qui s'abattait sur les siens, le coup porté à l'enfant d'une fille qu'il se reprochait sans doute d'avoir abandonnée…

« Nils » ! Ah, lorsqu'il prononçait ce prénom, tant de chaleur et d'amour dans sa voix, auxquels s'ajoutait la fêlure qui rend un homme en apparence inatteignable proche et attachant.

Et Gabrielle, dont le père – « ce pauvre Darcet », comme on l'appelait – avait vécu toute sa vie courbé sous les ordres d'un patron pervers, incapable de se défendre, en un mot servile, s'était tout simplement dit qu'elle aurait aimé grandir dans la lumière d'un tel seigneur.

Lorsque, ses yeux gris dans les siens, Edmond de Saint Junien lui avait dit sa certitude que son petit-fils ne pouvait avoir commis le crime dont on l'accusait, elle avait été tentée de le croire et, quelques heures plus tard, à la gendarmerie, face au grand petit garçon aux abois : « Ce n'est pas moi, madame, ce n'est pas moi, je vous jure », elle avait été totalement convaincue.

Elle s'était attelée à la tâche, sans ignorer, après avoir pris connaissance des témoignages accablants de la mère de la victime et des propres tantes de l'accusé, combien celle-ci serait ardue si l'on ne retrouvait pas rapidement le vrai coupable. Pas une seconde elle n'avait soupçonné Alexander qui, au dire de Monique, confirmé par Béatrix, dormait profondément chez lui à l'heure où le crime avait été commis.

Lors de ses visites au château, il lui était arrivé de croiser l'adolescent balourd, enfermé en lui-même, incapable de soutenir un regard étranger, et celui-ci l'avait émue. Elle avait également plaint sa mère dont on lui avait raconté qu'elle avait tout sacrifié pour lui ; jamais Gabrielle n'en aurait eu le courage !

Et voilà qu'avec le scénario de Nils, soudain, tout devenait limpide, les pièces du puzzle s'assemblaient et des détails, ces détails auxquels elle avait toujours attaché tant d'importance, venaient la frapper comme autant de preuves supplémentaires : Monique relevant la jupe de la fillette que Nils avait rabattue, faisant semblant de découvrir le sang, criant « Il l'a violée ! », ce qu'elle redoutait qu'Alexander ait fait ? Sa réaction, pour le moins étrange, lorsque l'avocate était venue faire part à la famille des résultats de l'autopsie : « Alors, tout ça pour rien ? » Pour rien, l'accusation mensongère, suivie d'un faux témoignage ? Quoi d'autre ? Et, bien sûr, la cabane incendiée par la mère et non par le gardien, lequel avait d'ailleurs toujours nié être l'auteur du feu, afin d'effacer toute trace du passage de son fils.

Et tandis que se forgeait sa conviction, le visage d'Edmond de Saint Junien, l'homme qui avait placé en elle toute sa confiance, ses espoirs, lui apparaissait, et ses paroles lui revenaient. « Je compte sur vous pour faire le maximum afin que mon petit-fils soit innocenté. »

Le maximum ?

Y compris, en désignant Monique et le fils de celle-ci, briser le cœur du seigneur ?

*

En accord avec Nils, Gabrielle a décidé de ne parler à personne de la « nouvelle donne » avant d'avoir, en toute discrétion, mené sa propre enquête. Elle choisit de commencer par Béatrix. La femme ne lui est guère sympathique : rigide, « coincée » au dire de sa propre fille, Philippine la délurée, la provocante, au contraire de sa soi-disant « jumelle », la douce et timide Fine, toutes deux également attachantes.

Le procès est prévu dans six mois, pas de temps à perdre. Dès l'après-midi suivant sa visite à Nils, elle appelle Béatrix chez elle et exprime son désir de la rencontrer afin de vérifier une dernière fois l'emploi du temps de chacun durant la matinée du drame.

Béatrix proteste : n'a-t-elle pas déjà tout dit et redit à ce sujet ? Gabrielle insiste, elle n'en aura pas pour longtemps, juste quelques questions. Elle propose un rendez-vous dans une brasserie, près de la place François-Ier. Son interlocutrice finit par céder, en y mettant une condition : que leur rendez-vous reste confidentiel.

Voilà qui arrange l'avocate.

Lorsqu'elle arrive, à l'heure fixée, la tante de Nils est déjà installée dans la salle du fond. Tailleur gris, corsage de soie mauve éclairé par une broche dorée, une femme élégante, à la beauté austère, une femme qui ne doit jamais se laisser aller, s'abandonner à la douleur comme au plaisir. Et qu'elle ait choisi ce coin obscur plutôt que la terrasse en ce joli mois de mai, caressé de soleil et de lumière, la résume. Si différente de Philippine, remarque une fois de plus l'avocate. Si la mère savait que c'est en quelque sorte sa fille qui l'envoie !

La poignée de main de Béatrix est ferme, sèche. Plutôt que de la rejoindre sur la banquette, Gabrielle prend place sur un siège en face d'elle afin de ne rien perdre de ses réactions.

Le garçon s'approche déjà.

— C'est moi qui invite, décide l'avocate – n'a-t-elle pas entendu dire que Béatrix était pingre ? Que penseriez-vous d'un thé gourmand ?

La spécialité de la brasserie.

— Pourquoi pas ?

Le garçon s'éloigne.

À part les deux femmes, il n'y a dans la salle qu'un vieux monsieur qui somnole devant un journal ; à l'abri de son épouse ? D'une voix légère, Gabrielle commence par interroger Béatrix sur ses sentiments vis-à-vis du neveu tombé du ciel, avant que le drame n'éclate. Cela n'a pas dû être facile.

« En effet », reconnaît celle-ci. Elle n'a toujours pas compris l'entichement de ses beaux-parents pour ce garçon dont ils ignoraient tout : un inconnu. N'en a-t-on pas eu, hélas, la preuve ? Ce n'est pas pour autant, ajoute-t-elle, qu'elle a approuvé Monique lorsque celle-ci est allée raconter à la presse le passé peu glorieux de Roselyne…

Puis Gabrielle en vient au fameux vendredi. Elle se dit convaincue que l'assassin s'est introduit dans le parc à l'insu des habitants du château. Béatrix accepterait-elle de lui retracer, une dernière fois, son emploi du temps ?

— La journée s'annonçait torride, soupire celle-ci. Je suis allée tôt au supermarché afin de remplir le réfrigérateur pour la fin de semaine : trois hommes à la maison…

Trois hommes. Elle n'a pas parlé de Philippine. Bien sûr, elle n'ignore pas les relations de sympathie qui lient l'avocate à sa fille.

— Et, lorsque vous êtes rentrée, vous n'avez rien entendu, rien remarqué d'anormal ?

— Absolument rien. Tout était calmissime. D'autant que c'était jour de semaine et que tous étaient partis au travail.

— Sauf Nils.

— Sauf lui.

Le visage s'assombrit. Le thé gourmand arrive à point. Thé vert pour Béatrix, de Ceylan pour Gabrielle. Mousse au chocolat, crème brûlée et flan les accompagnent dans de minuscules ramequins, ainsi que des petites pâtisseries locales. Elles font une pause pour se servir et commencent à déguster. Un régal. Béatrix semble se détendre un peu. Elle ne doit pas s'accorder souvent ce genre de « récré » dans des journées bien réglées… au service de ses hommes.

— Puis votre belle-sœur vous téléphone…, reprend Gabrielle.

— Elle voulait m'emprunter mon mixeur pour faire un gaspacho, le sien était en panne.

— Vous souvenez-vous de l'heure ?

— Je venais de prendre un léger en-cas. Il devait être un peu plus de treize heures.

— Et vous vous y rendez aussitôt ?

— La consigne familiale est d'aider Monique. Elle n'a pas eu la vie facile et il est rare qu'elle réclame quelque chose, alors, bien sûr, je n'hésite pas.

« Il est rare qu'elle réclame quelque chose. » L'avocate note. Dans les mots « consigne familiale », n'a-t-elle pas perçu comme une lassitude ? Elle risque :

— N'est-il pas parfois un peu difficile de vivre tous… sur un même territoire ?

— Baudoin travaille avec son père. Il reprendra un jour l'entreprise. Il est, pour lui, hors de question de vivre ailleurs, répond Béatrix du tac au tac.

Du regret dans la voix ?

Lorsqu'elle arrive chez sa belle-sœur, poursuit-elle, celle-ci lui recommande de ne pas faire de bruit : Alexander dort profondément devant la télévision qu'il aime allumer sans la regarder pour autant.

— Et bien sûr, le fameux Baloo est avec lui ! se lance Gabrielle.

Le regard de Béatrix traduit son étonnement : que vient faire Baloo dans l'affaire ?

— Je suppose… Alexander ne le quitte jamais. À son âge, une peluche…

Monique lui propose un café, s'absente un moment dans la cuisine. Elles le prennent à l'écart du canapé pour ne pas réveiller Alexander. Et puis, très vite, leur parviennent les appels de Mme Alvarez cherchant sa fille.

— Vous proposez de l'aider.

— Monique… Je suppose que je n'ai pas besoin de vous raconter la suite, elle figure dans le dossier.

*

Elles en sont restées là. L'entretien avait apporté à Gabrielle ce qu'elle en attendait : tandis que Monique préparait le café à la cuisine, elle avait pu voir Nils retourner à la cabane. Et c'était elle qui avait proposé d'aider Mme Alvarez à chercher sa fille.

Elles se sont resservies du thé. Béatrix lui a posé quelques questions sur son métier. Depuis quand l'exerçait-elle ? Était-ce une vocation ? Certains cas n'étaient-ils pas particulièrement difficiles, voire douloureux ? N'avait-elle jamais éprouvé des moments de découragement ? Moments difficiles, découragement… derrière ces questions, il semblait à Gabrielle entendre Béatrix s'interroger sur sa propre vie, et elle ne pouvait s'empêcher de regarder, sur la banquette, la paire de gants de chamois, posée sur le sac haute couture. Béatrix, femme « gantée » qui, aujourd'hui, pour elle, défaisait quelques pressions ?

Quoi qu'il en soit, son opinion était faite : rigide, coincée peut-être, mais droite, sincère, incapable de tricher. Si Béatrix avait eu le moindre doute concernant l'attitude de Monique, elle l'aurait dit, et jamais elle ne l'aurait suivie dans un quelconque mensonge. Pour elle, de toute évidence, Nils était le coupable. Ce qui n'arrangeait pas l'avocate ! Et voilà que son interlocutrice ne semblait plus du tout pressée de quitter la brasserie. À demi-mot, demi-confidence, en bordure de lèvres, elle lui faisait part de son petit souci concernant son cadet, Louis-Adrien, allergique aux études, que son père avait dû éloigner. Il lui manquait ! Un sentiment inattendu de sympathie pour la femme gantée était venu à Gabrielle. Ce thé gourmand aurait été pour Béatrix de Saint Junien l'occasion, sans doute rare, d'échanger un peu.

Grande devait être sa solitude.

15

Gabrielle

Avec Monique, Gabrielle n'a jamais échangé que quelques mots. La dernière fois qu'elles se sont vues, ou plutôt aperçues, c'était lors de la détestable reconstitution : une pauvre femme, injustement accablée par le sort, voilà ce qu'elle en avait pensé ce jour-là. Vieillie avant l'âge, flétrie, une ombre…

Capable de faire condamner un innocent pour sauver son fils ?

Une certitude : inutile de l'appeler pour demander un rendez-vous, jamais Monique n'acceptera. Seule solution pour la rencontrer, et si possible Alexander, débarquer aux Mésanges sans s'annoncer.

Durant la journée qui a suivi son entretien avec Béatrix, l'avocate s'est renseignée sur l'établissement. Bienheureuses sont les familles qui ont les moyens d'y placer leur enfant. Chacun est suivi quotidiennement par un médecin qui dose les médicaments appropriés à son cas, psy, orthophoniste, éducateurs divers complètent le dispositif.

Gabrielle a choisi le cœur de l'après-midi, seize heures, pour sa visite surprise. Lorsque à l'entrée de la grande maison, pourvue de deux ailes, elle a prononcé le nom « Saint Junien », la porte s'est ouverte. Et la chance la sert, il pleut à verse, tous les résidents sont à l'intérieur, les uns dans une vaste salle où des moniteurs s'efforcent d'organiser des jeux, les autres, moins nombreux, dans un salon, en compagnie de leur famille ou d'amis.

C'est là que Gabrielle trouve Monique, au fond de la pièce, assise dans un canapé auprès de son fils. Aux pieds de celui-ci, étalé sur le tapis… Baloo.

« Certains cas ne sont-ils pas particulièrement difficiles, voire douloureux ? » lui a demandé Béatrix l'avant-veille. Aujourd'hui, l'avocate n'a pas envie de faire son métier, le jeu auquel elle va jouer, le piège qu'elle va tendre à la fille de celui qui a placé toute sa confiance en elle lui répugne.

Sans hâte, elle s'approche du canapé. Elle y est presque lorsque Monique la découvre. Son geste de recul – d'effroi ? – ne lui échappe pas. Souriante, elle lui tend la main : « Bonjour ! » Monique ignore la main, se rencogne dans le canapé. Gabrielle se tourne vers son fils. « Salut, Alexander ! »

Comme s'il se sentait menacé, avec un grognement, celui-ci attrape son ours, le serre contre lui et, même si ce sont eux qui ont été à l'origine de sa venue ici, les yeux dissemblables de la peluche, l'un nettement plus petit que l'autre et d'un brun plus clair, déclenchent un choc dans la poitrine de l'avocate.

Vite, elle détourne le regard. Avant tout, ne pas effrayer davantage Monique, la rassurer.

Tranquillement, elle prend place dans un fauteuil et explique qu'elle vient de rencontrer Béatrix – pardon, dame gantée – avec laquelle, avant le procès qui se tiendra dans quelques mois, elle a fait un dernier point sur le déroulement de la matinée du trop fameux vendredi.

Sans reprendre son souffle, elle déclare sa certitude qu'un étranger – elle appuie sur le mot « étranger » – s'est introduit dans le parc à l'insu des habitants du château et y a accompli son forfait. Si Monique veut bien répondre, elle aussi, à quelques questions concernant son emploi du temps, l'avocate sera en mesure de clore le dossier.

Tandis qu'elle parlait, à plusieurs reprises, Alexander a levé furtivement les yeux vers elle. Dans son esprit confus, a-t-il flairé le danger ? Se souvient-il seulement de ce qu'il a fait ? Il se colle à sa mère et le mot « symbiose » effleure l'esprit de Gabrielle : vivre en symbiose, l'un pour l'autre, l'un par l'autre, inséparables, indissociables. Et voyant le regard sombre – celui du père déserteur ? – désespérément ancré à celui, clair, de sa mère, Gabrielle ne peut s'empêcher de le plaindre, un comble !

Monique se décide : sa matinée ce vendredi-là ? C'est bien simple, elle n'est pas sortie de chez elle, trop chaud ! Elle a fait un peu de ménage, s'est occupée d'Alexander, a déjeuné avec lui. Après le repas, comme d'habitude, il s'est endormi devant la télé.

Elle a débité tout cela d'un trait – une leçon apprise par cœur ? –, d'une voix allant du sourd à l'aigu, voix « mal placée », constaterait un spécialiste. Gabrielle n'a cessé d'acquiescer, oui, oui, c'est bien ça, c'est exact, elle n'en doute pas. Ferrant sa victime avant de l'exécuter ?

— Et une fois Alexander endormi, vous appelez votre belle-sœur…

— Pour lui demander de me prêter son mixeur, le mien est en panne.

— Elle vous l'apporte aussitôt.

— Aussitôt ! On a pris un café. Presque tout de suite, on a entendu la gardienne qui appelait sa fille et on a proposé de l'aider. La suite, vous la connaissez.

Voix sourde.

Soudain, elle écarte Alexander de son épaule, a un geste pour se lever.

— Maintenant, si vous voulez bien, nous allons…

— Une dernière question, s'il vous plaît, se lance Gabrielle. Vous sembliez certaine que Maria avait été violée…

Voix aiguë.

— Vous l'auriez été vous aussi ! Le sang sur la main de son… agresseur, sur le ventre de la pauvre enfant.

« Elle a relevé la jupe que j'avais baissée », a affirmé Nils.

— Je me suis trompée, je regrette, ajoute Monique d'une voix sombre.

Et, d'un coup, elle est debout. Elle tend la main à son fils : « Tu viens avec maman ? » L'ado se lève lourdement, attrape son ours par la patte. Gabrielle n'a plus le choix, c'est maintenant ou jamais. Elle pointe le doigt sur les yeux différents, reprend les mots de Philippine.

— Le pauvre a eu un accident ?

Rire aigu de Monique, mots en rafale.

— Vous voulez dire qu'il part en morceaux ! Un cadeau de naissance, Alexander et lui ont le même âge. Lorsque Baloo a perdu un œil, il en a fait une maladie. On l'a cherché partout sans résultat. Je l'ai remplacé par celui d'une peluche trouvée dans un vide-greniers. Même s'il n'est pas tout à fait pareil, ça a suffi à le rassurer.

Elle entraîne son fils vers la porte, suivie par le regard étonné des familles présentes. Gabrielle leur emboîte le pas.

— Cet œil, quand l'a-t-il perdu exactement ?

Monique s'arrête net. Voix de défi.

— Début juillet. Demandez donc à Jeanne, la cuisinière. Elle m'a aidée à le chercher. C'est elle qui a eu l'idée du vide-greniers. Elle aime bien mon garçon, vous savez !

Début juillet, une semaine après le drame.

Jeanne comme témoin ?

16

Nils

Comme quelques jours auparavant, le parloir était à eux seuls quand Gabrielle Darcet est revenue voir Nils. Elle lui a raconté, dans le détail, ainsi qu'elle s'y était engagée, ses visites à ses tantes. Elle avait songé à rencontrer également Mme Alvarez, mais l'attitude de celle-ci durant la reconstitution l'en avait dissuadée. De toute façon – pardon, Nils – la gardienne, comme Béatrix, est sincèrement convaincue de ta culpabilité et la voir ne nous aurait menés à rien.

En revanche, elle avait bavardé avec Jeanne. Celle-ci était, en effet, très attachée à Alexander dont elle s'était beaucoup occupée, enfant. Moins une fois l'adolescence venue, le pauvre, une pitié ! Son ours ? Elle l'avait toujours vu avec. Quand avait-il perdu un œil ? Ça, elle était incapable de le dire, mais oui, c'était bien elle qui avait donné à Mme Monique l'idée du vide-greniers pour récupérer celui d'une peluche afin de le remplacer. Elle l'avait même aidée à le coller et à recoudre un peu autour, ce qui n'avait pas été une mince affaire. « C'est important, madame Darcet ? – Non, non », s'était empressée de répondre Gabrielle.

Lorsqu'elle a annoncé à Nils être arrivée à la même conclusion que lui : Alexander, le coupable, sa mère, complice, des larmes de soulagement et de gratitude ont noyé ses yeux et il a saisi la main tendue au-dessus de la table : sauvé !

Sauvé ?

Pas si simple ! Il se trouvait à présent face à un choix difficile, crucial, auquel Gabrielle avait longuement réfléchi.

Soit ils faisaient part au juge d'instruction de leur découverte, demandaient une reprise de l'enquête en braquant cette fois les projecteurs sur Alexander et sur sa mère, mais cette demande retarderait considérablement le procès, sans certitude d'aboutir, faute de preuve indiscutable, si Monique maintenait sa version des faits, corroborée par Béatrix et Mme Alvarez. Et en prenant de surcroît le risque de faire apparaître Nils, aux yeux du jury, comme s'attaquant en dernier recours à son cousin handicapé.

Soit…

Ils gardaient pour eux le « nouvel élément » et laissaient le procès se dérouler à la date prévue, procès à l'issue duquel, grâce à de nombreux témoignages en sa faveur et certaines faiblesses de l'accusation, son avocate était en droit d'espérer que, sans pour autant être acquitté, Nils ne serait pas trop lourdement condamné. À l'année déjà passée en prison s'ajouterait la très probable réduction de peine pour conduite exemplaire et il devrait être libéré dans deux « petites » années.

« Sans certitude d'aboutir… »

« Deux petites années… » contre l'inconnu.

Celle qu'en lui-même il nommait Gabrielle et à qui il avait toujours fait confiance a plongé les yeux dans les siens. Pas un sourire, comme lors de leur précédent entretien : choix crucial !

« C'est à toi de décider, Nils. Sache que quelle que soit ta décision, je me battrai à tes côtés. »

Quel que soit son choix…

Le beau et fier visage de son grand-père apprenant le nom du véritable coupable et celui de sa complice lui est apparu, incrédule, douloureux. Il a vu couler les larmes silencieuses de la douce et tendre Delphine.

Décision « cruciale », croix, crucifix, se crucifier ou crucifier l'autre…

Il a revu la chapelle des vœux d'Amsterdam ; comment savoir ? comment choisir ? Il a pris sa tête dans ses mains : qu'aurait voulu sa mère ?

« Veux-tu que je te laisse seul un moment ? Je peux revenir cet après-midi, a proposé l'avocate. Je comprends combien cela doit être difficile pour toi. »

Et lorsqu'elle a ajouté d'une voix un peu cassée : « Une fois rentré au château, rien ne t'empêchera de regarder les choses d'un peu plus près », il a compris que son choix à elle était fait.

Il a senti sur ses épaules la chaleur de la veste de l'homme qu'il admirait et aimait entre tous, celui qui, par deux fois, l'avait sauvé du désespoir ; et sans doute est-ce pour ne pas le blesser, par peur de le perdre, qu'il s'est rallié à la sage – trop sage ? – décision.

17

Nils

Le procès a eu lieu à la date prévue, au palais de justice d'Angoulême. Certains prennent une semaine, voire davantage, celui de Nils de Saint Junien a duré trois jours.

Venue d'un peu partout, attirée par le nom d'un des princes du cognac, la presse avait envahi la ville et la grande salle du tribunal n'a pas désempli.

Robes… Ce dont se souviendrait Nils, comme costumes de scène.

Robe rouge du président de la cour – rôle phare – entouré de ses assesseurs, homme et femme en robe noire à cravate blanche. Noire également, la robe de son avocate, un rang devant lui, mettant en valeur son lourd chignon blond. Robes de couleurs plus légères dans l'assistance où il a reconnu ses grands-parents, les parents de Fine, Gilles et Hermine, Jeanne, et un visage qui a fait bondir son cœur : Mado, sa Mado d'Amsterdam !

Le président a demandé le silence.

Face au jury, composé de quatre femmes et de deux hommes, l'avocat général a pris la parole en premier et exposé les faits, avant d'appeler les témoins à la barre.

Regards… que n'oublierait jamais Nils.

Le regard douloureusement interrogateur de Mme Alvarez, fixé sur lui, tandis que, répondant aux questions du président et de l'avocat général, elle revenait, une fois de plus, aux quelques minutes qui avaient détruit sa vie : « Pourquoi ? » Pourquoi, *monsieur* Nils ?

Le regard de Monique, après qu'elle a eu prêté serment, fuyant obstinément le sien qui, de toutes ses forces, l'appelait, la convoquait au tribunal de sa conscience pendant qu'elle alignait les accusations mensongères : Nils, les coups, Nils, le sang, Nils, la mort. La vérité, Monique ? Toute la vérité, rien que la vérité, vraiment ?

Et celui de Béatrix, confirmant les témoignages précédents, sans colère, lui a-t-il semblé, mais empreint de reproche : « Vois où tu as mené la famille ! »

Puis l'interrogatoire de Nils a eu lieu. Il portait une tenue neuve fournie par sa famille car il avait beaucoup grandi depuis le jour où, petit garçon honteux, il avait pleuré dans le bureau du procureur : veste, pantalon, chemise blanche sans cravate et chaussures sans lacets pour parer à une éventuelle tentative de suicide.

C'est un homme fort de son innocence qui, durant d'interminables minutes, a répondu, sans bredouiller, aux « Expliquez-vous » des différents magistrats.

La nuit qui a suivi ce premier jour, il n'a cessé de voir, au-dessus du tribunal, la balance représentant la justice, ornée d'une femme munie d'un glaive. Elle était belle. Serait-elle aveugle ?

Du mieux qu'il a pu, Louis Garnier l'a accompagné, se privant lui-même de sommeil : « Ça va aller, petit, ça va aller ! » Nils a refusé les comprimés qu'il lui proposait, même pas un : les choses en face.

Durant le deuxième jour, des experts ont témoigné, des documents ont été produits, des objets dans des sacs en plastique. Quelques incidents et autres querelles entre experts et avocats ont éclaté, auxquels Nils n'a rien compris et qui, il en avait l'impression, ne le concernaient pas.

Il regardait les siens, il regardait Mado à côté de Jeanne. Il l'avait toujours su qu'elles s'entendraient bien, ces deux-là ! Deux « mamans ». Il regardait les jurés, ces quatre femmes, ces deux hommes, qu'il ne connaissait pas, qu'il n'avait jamais croisés avant, à qui il n'avait jamais adressé la parole et qui décideraient de son sort, feraient pencher la balance, bon ou mauvais côté ? Poids et mesures… poids de quelles paroles, mesurées à quelle aune ?

« Monsieur Edmond de Saint Junien », a appelé le président en robe rouge.

Il y a toutes sortes de silences. On parle de silence « religieux », de silence « de mort ». Il peut y en avoir aussi de respect, de regret, de honte. Celui qui est tombé sur la salle, tandis que l'homme aux cheveux blancs, front haut, s'avançait d'un pas ferme vers la barre et prêtait serment, a fait baisser la tête des médisants, des envieux, de tous ceux qui avaient trouvé un plaisir malsain à salir une réputation.

Edmond de Saint Junien a parlé d'enfance.

D'une enfance difficile, trop tôt exposée aux coups de la vie, d'où chaleur et lumière ont été absentes, certains en sortent l'âme démantibulée, incapables de grandir, parfois animés par la haine et l'esprit de vengeance, et, de ceux-là, on peut tout redouter. D'autres, victimes d'une même enfance, ont eu la chance, la force, de savoir exploiter chaque parcelle d'amour, chaque lumière à eux donnée. Nourris d'espoir, le jour où leur vie s'éclaire enfin, ils sont prêts à en accueillir, en savourer toutes les joies, à saisir toutes les mains qui se tendent. Ayant été blessés, ils s'efforceront à l'indulgence, ayant souffert, ils sauront reconnaître la souffrance des autres et s'emploieront à les réconforter.

Il s'est tourné vers Nils.

Son petit-fils était de ceux-là.

Durant les quelques semaines où ils ne s'étaient pratiquement pas quittés, il n'avait exprimé que de l'enthousiasme, de la reconnaissance, de la générosité. Ensemble, ils avaient fait des projets, regardé vers l'avenir. En aucun cas, le crime abject perpétré sur une petite fille qu'il aimait et connaissait bien ne pouvait avoir été commis par lui.

Il a mis la main sur son cœur.

« Je me porte garant de son innocence. »

Et le silence, alors qu'il regagnait sa place, était cette fois, on se demandait pourquoi, traversé d'allégresse, comme on en éprouve en découvrant que la vie a ses beautés. Malgré l'horreur.

*

Est venu le jour du verdict.

Dans une plaidoirie que la presse qualifierait de brillante, maître Darcet a parlé de « temps », la petite heure pendant laquelle l'assassin avait, selon elle, accompli son forfait, de l'incendie suspect détruisant toute preuve de passage du criminel. Et si la victime avait lutté contre son agresseur, ainsi que le démontrait l'autopsie, on n'avait trouvé, sur la main et le short de son client, que quelques taches de sang provenant de l'oreille blessée. Pas la moindre griffure, la plus petite ecchymose, aucune trace de coups.

Après avoir longuement décrit la personnalité de Nils de Saint Junien, elle est venue se planter devant les jurés, dont elle a fixé tour à tour chacun des membres – quatre mères ? deux pères ? –, et elle leur a demandé de bien regarder celui, si jeune, dont l'avenir reposait entre leurs mains. Comment se construire sous le poids de la plus terrible des accusations ? Elle les a priés de lui accorder, au moins, le bénéfice du doute.

« Bénéfice du doute ? Quel doute ? » a clamé l'avocat général. Quel élément nouveau apporté par la défense ? Quelle preuve que l'accusé n'avait pas commis les gestes décrits avec précision par trois témoins de qualité ? Et comment juger de la personnalité d'un homme, car, au moment des faits, Nils de Saint Junien était bien un homme, qui n'avait passé que quelques semaines dans sa famille ? Ne faut-il pas parfois des années pour connaître réellement ses propres enfants ? Et quelle assurance pouvait-on avoir que, une fois libéré, il ne répéterait pas son geste ?

Il a parlé de vies brisées en désignant le couple Alvarez et réclamé pour l'accusé quinze ans de réclusion criminelle, et le frémissement qui a couru le long des épaules de son avocate s'est transmis à celles de Nils. Quinze ans ?

Ainsi que le veut la loi, c'est à l'accusé qu'il revient de parler en dernier.

« Avez-vous quelque chose à ajouter pour votre défense ? » a demandé le président.

Il était encore temps.

Ratifiant son choix, fermement, Nils a répondu : « Non. »

La séance a été levée, place aux délibérations des jurés et de la cour.

Nils a été condamné à cinq ans d'emprisonnement pour coups et blessures, entraînant la mort sans l'intention de la donner.

À la lecture de la sentence, il lui a semblé voir le regard de certains jurés se tourner vers Edmond de Saint Junien.

Comme l'avait espéré son avocate, avec le temps déjà accompli en détention provisoire, auquel s'ajouterait la très probable réduction de peine, il devrait être libre dans deux ans environ.

Les images qu'il gardera à l'énoncé du verdict.

Le sourire, ô combien soulagé, de Gabrielle Darcet, se tournant vers lui.

Le visage détourné de Monique.

Sa grand-mère s'essuyant les yeux.

Le mot « victoire » dans ceux de son grand-père.

Quelle victoire ?

18

Nils

De la fenêtre de sa chambre – ici, le mot « cellule » est prohibé –, Nils peut voir la campagne, à perte de vue, à se perdre dans les champs, ce bouquet d'arbres, au loin, ce ruban d'eau qui miroite sous le soleil, ces toits serrés autour d'un clocher, le ciel à satiété.

On ne parle pas non plus de « maison d'arrêt » mais d'« établissement », ni de détenus mais de « pensionnaires ».

C'est le juge des libertés et d'application des peines qui a décidé de son transfert dans le grand bâtiment flambant neuf entre Angoulême et Bordeaux, ni centre d'éducation renforcée, réservé aux mineurs, ni régime de semi-liberté, un centre expérimental sur le modèle suédois concernant des détenus de tous âges ayant une assez courte peine – on ne dit pas « incarcération » – à accomplir jusqu'à leur sortie. Là, ceux que l'on a « mis à l'ombre », parfois durant des années, apprivoisent la liberté à venir : trop de soleil d'un coup peut vous aveugler, trop boire après avoir manqué d'eau, vous tuer. Il paraît que ce sont les pensionnaires qui ont donné son nom au centre : La Quille. Ça en a fait tiquer certains.

Ils n'y sont qu'une cinquantaine, encadrés par de tolérants « gradés », dans des chambres individuelles dont ils gardent la clé lorsqu'ils en sortent, de sept heures le matin pour le petit déjeuner à dix-neuf heures trente après le dîner, sauf exceptions : soirées spectacles ou divertissements. Durant la journée, chacun circule à sa guise, choisit ses activités. Seuls horaires imposés, ceux des repas, pris au réfectoire, souvent préparés par des apprentis cuisiniers.

Le matin, des cours de gymnastique sont proposés aux amateurs sur le terrain de sport où l'on pratique aussi foot et basket. L'après-midi est réservé aux visites et aux ateliers.

La toute première visite que Nils a reçue a été celle de Mado, accompagnée par ses grands-parents. Mado venue du « plat pays » pour lui apporter son soutien. Discrètement, ses grands-parents les ont laissés seuls. Et, pour ne pas pleurer, devinez de quoi, de qui, ils ont parlé ? De Jeanne, bien sûr, Dame Jeanne, devenue amie de la dame d'Amsterdam, et de recettes de cuisine, « cuisine », mot magique où, dans l'alambic de la tendresse, un parfum de bien-être, la saveur de moments bénis l'on puisera toute sa vie, sans pouvoir discerner la part de vrai, la part de rêve.

À satiété aussi, les visites ! Hormis ses grands-parents, Gilles et Hermine viennent régulièrement, Jeanne parfois, et même Pierre, une fois, tout gêné, tournant sa casquette entre ses mains, ne sachant comment manifester sa solidarité. Sans compter Gabrielle, bien sûr, qui le tient au courant des progrès de sa demande concernant sa réduction de peine.

Les « jumelles » attendent son feu vert. Jusque-là, il n'a pas souhaité les voir : timidité ? orgueil ? Pas envie de les recevoir entre quatre murs, fussent-ils ceux de La Quille ? Il se contente de lettres et de photos qui lui arrivent directement.

Mais le plus beau, l'inestimable cadeau offert aux pensionnaires par ce lieu, ce sont les ateliers. Atelier-cuisine, atelier-mécanique, et l'atelier-menuiserie où, trois après-midi par semaine, Nils peut satisfaire sa passion du bois et se préparer à en faire son futur métier.

Vêtu d'un bleu de travail, sous les ordres d'un contremaître, il manie la scie, le rabot, le trusquin, débrutit une planche en faisant voler les copeaux, assemble, polit. Et tombent les murs, repartent les aiguilles arrêtées des horloges, s'élargit le ciel. Durant ces heures-là, il n'est plus qu'un artisan apprenant à faire du beau, du vivant, pourquoi pas de l'éternel ?

*

Cet après-midi d'hiver, Nils est à l'œuvre lorsque, à la porte de l'atelier, il voit apparaître, en compagnie de son grand-père, un homme aux épaules larges, cheveux blancs en désordre, un lacet en guise de cravate, chemise à carreaux, qu'il identifie aussitôt : Nicolas Santini, l'ébéniste rencontré dans une ruelle de la vieille ville de Cognac, un jour de promenade avec Edmond.

Partagé entre stupéfaction et joie, Nils interrompt son travail. Santini vient droit vers lui et, là, il reconnaît le regard ardent, les mains fortes, marquées par l'ouvrage.

« T'occupe pas de moi, continue. »

Alors, il reprend, ses mains à lui un peu tremblantes, sous le regard encourageant d'Edmond. Le chef d'atelier a rejoint les visiteurs. Il semble connaître Santini, ils discutent à voix basse, bien sûr, c'est un coup monté.

« Si tu es d'accord, je t'attends dès ta sortie, j'ai du boulot pour toi, mon grand », lui proposera l'ébéniste avant de le quitter.

S'il est d'accord ? Si, si, si : ce si-là flambe comme une certitude.

Et cette nuit-là, debout devant la fenêtre ouverte de sa chambre, les yeux aux étoiles, Nils s'autorisera à pleurer. Non plus de peur ou d'angoisse, mais de quelque chose au goût brûlant de bonheur.

*

« Mon grand… »

Nils grandit. De la même façon qu'il muscle son corps sur le terrain de sport, il muscle et affermit sa volonté, pourquoi pas son « âme » – ne parle-t-on pas de « force d'âme » ? Plus jamais, il se l'est juré, il ne tremblera devant une brute menaçant de lui trancher la gorge ; il se défendra, attaquera s'il le faut. Pour dormir, il n'a plus besoin de s'envelopper dans la veste de son grand-père, sans pour autant l'en aimer moins. Et il a fait face à l'une de ses très anciennes phobies, il a appris à nager en participant aux sorties piscine. Là, c'est à sa grand-mère qu'il réserve la surprise.

Nils Holgersson n'est plus. Nils de Saint Junien est définitivement descendu des ailes du jars. L'enfant d'Amsterdam marche vers l'homme.

Si les portables sont interdits à La Quille – quelques-uns se débrouillent pour s'en procurer et les surveillants ferment les yeux –, on peut, à certaines heures, donner ou recevoir des appels sur le fixe de l'établissement.

Et ce soir-là, exubérant mois de mai, mois de fête…

— Allô ! Nils ? C'est moi. S'il te plaît, ne raccroche pas.

Cette voix fraîche, altérée par la timidité, qu'il n'a quasiment pas entendue depuis bientôt deux ans, Nils la reconnaît aussitôt et l'émotion l'étouffe.

— Comment vas-tu, Fine ?

— Promets de ne pas dire non.

— Oui !

— Alors, on vient te voir dimanche.

Et déjà, elle a raccroché.

*

Il avait laissé au château deux charmantes ados dans des allées en fleurs qui leur allaient bien ; ce sont des presque femmes que Nils voit venir à sa rencontre, l'une en short, décolleté hardi, l'autre en robe et sandalettes de toile. Tout aussi déconcertées que lui, elles découvrent leur cousin devenu homme.

La première, Philippine recouvre ses esprits.

« T'aurais pu envoyer des photos ! Gare à vous, les filles, il va toutes vous tomber ! »

Et elle l'embrasse sur les deux joues.

Fine hésite, ses yeux châtaigne interrogateurs. Puis elle détache de son poignet – dernier cran – la montre de Nils et l'attache au poignet qu'il lui tend – premier cran. C'est avec un rire qu'ils renouent.

Assis dans le jardin, devant les boissons prises au

distributeur et des sablés préparés par Jeanne, il les interroge sur leurs futurs projets, après la terminale, dans un peu plus d'un an.

Philippine pense au journalisme : grand reporter, ça lui dirait bien, sa mère hurle déjà, bon signe ! Fine hésite encore : s'occuper d'enfants en difficulté ? Sa mère à elle lui répète qu'elle a tout son temps pour décider.

— Si on parlait de choses sérieuses, déclare soudain Philippine.

Et Nils comprend que ce qui va venir est la vraie raison de leur présence ici.

— C'est pas M. Alvarez qui a mis le feu à la cabane !

Il s'efforce de contrôler sa voix.

— Ah bon ? Et comment le sais-tu ?

— Tu as peut-être oublié, mais on avait promis qu'on ne te lâcherait pas. On est allées voir Mme Alvarez à Châteaubernard. C'est elle qui nous l'a dit.

— Mme Alvarez était à hôpital quand la cabane a brûlé.

— Peut-être… Mais son mari lui a jamais menti et il lui a juré qu'il dormait. Il a même dit qu'il était rond comme une barrique quand la sirène des pompiers l'a réveillé.

— Si ce n'est pas lui, à votre avis, c'est qui ?

— Un qui voulait effacer ses traces.

UNE !

Un instant, le prénom brûle les lèvres de Nils : Monique. S'il fait part à ses cousines de sa découverte, nul doute qu'elles le croiront et n'en feront pas une maladie. Il paraît qu'elles ne supportent plus leur tante depuis qu'elle a révélé à la presse son enfance à Amsterdam. Sans compter la fausse accusation de viol !

Mais le risque est trop grand, même si elles promettent de garder le secret, qu'elles se coupent ou éveillent les soupçons par une attitude doublement hostile. Trop tôt ? Plus tard peut-être. On verra.

Alors, Nils se tait.

« C'est tout ce que ça te fait ? T'as pas envie d'être réhabilité ? » s'indigne Philippine.

Il les a raccompagnées jusqu'au portail de La Quille. Et là, debout sur la pointe de ses sandalettes, Fine s'est décidée à l'embrasser. Il a reconnu une odeur d'œillet.

La prison, c'est aussi, remontant du passé, le bref et fulgurant sillage d'un parfum de bonheur au goût de liberté.

19

Nils

On pourrait croire que c'est durant les mois d'hiver, lorsque la nuit est prompte à tomber sur des paysages navrés, que la nature se tait et se cachent les lumières derrière les volets clos des maisons, que celui, doublement enfermé, souffre le plus.

C'est, au contraire, alors que vient la fleur, que pointe le fruit et que remontent à la mémoire d'autres floraisons sur des airs de danse, dans le tournoiement de jupes autour des jambes nues des filles, le bruissement de joies, de plaisirs saisis au vol, toutes ces lumières dont on a perdu l'usage – le retrouvera-t-on jamais ? –, alors que le jour n'en finit pas de tomber, voleur de sommeil, de bienheureux oubli, que le désespoir noie le cœur du prisonnier.

Les surveillants le savent bien, dont les rondes se font plus fréquentes, l'œil plus régulièrement appliqué au judas.

À la maison d'arrêt d'Angoulême, cette nuit-là de juin, à bout de patience, le doux Louis Garnier s'est fait la belle à l'aide de comprimés soigneusement conservés, au cas où, depuis des mois.

Et là où il est parti, aucun policier ne le retrouvera jamais.

*

À La Quille passe un nouvel hiver, s'annonce un nouveau printemps.

Des pensionnaires s'en vont, d'autres arrivent, quelques-uns ne faisant qu'une brève apparition, pas encore prêts à affronter une porte entrouverte sur la liberté qu'eux-mêmes doivent refermer le soir.

Thibaut, le fils aîné de Baudoin, s'est marié. Issue d'une grande famille de la région, l'élue s'appelle Agnès et il paraît qu'elle est aussi douce que son prénom. Nils a vu quelques photos du mariage : voile blanc, jaquettes, enfants d'honneur. De Thibaut, il garde le souvenir d'un de ceux que son arrivée n'a pas trop réjoui. Jamais il n'a vraiment échangé avec lui.

Une petite fille, Aurore, est née, qui fait la joie de tous.

Cette joie, tous ne l'éprouveront sans doute pas lorsque Nils reviendra au château. D'après son avocate, il devrait bientôt obtenir la réduction de peine tant attendue, d'autant qu'il peut justifier d'un toit et d'un travail, conditions obligatoires pour quitter le centre.

Il n'a jamais regretté sa décision. S'il ne l'avait prise, sans doute attendrait-il encore son procès. Curieusement, Gabrielle et lui n'en ont jamais reparlé, comme si chacun attendait que l'autre commence : choix crucial ?

« Quelle que soit ta décision, je me battrai à tes côtés », lui avait-elle promis.

« Tu n'as pas envie d'être réhabilité ? » a râlé Philippine.

Réhabilité, blanchi, innocenté…

Pourra-t-il compter sur son avocate pour le suivre dans cet autre combat ?

*

Ce jour de fin juillet, lorsqu'il la voit, radieuse, venir vers lui entre ses grands-parents, il comprend que la liberté est proche.

C'est Edmond qui lui annonce la bonne nouvelle : il sortira fin septembre. Et lui, d'ordinaire si réservé, ne cherche pas à cacher son allégresse, tandis que Delphine laisse couler des larmes de bonheur. S'il y avait du champagne à La Quille, sûr qu'ils le sableraient, et Nils ne perd rien pour attendre !

Plus que deux mois, encore deux mois avant la fin septembre, il sait que ce seront les plus longs.

À défaut de champagne, ils boivent sodas et jus de fruits à l'ombre d'un bouquet de chênes rouges d'Amérique, qui parlent d'horizons nouveaux. Les projets vont bon train. Une priorité : en attendant que Nils passe son permis de conduire, il faudra lui trouver un scooter pour qu'il puisse aller travailler. Philippine se propose de lui donner des leçons ; elle, c'est la moto qu'elle vise. Se préparent un certain nombre de fêtes à l'occasion des vendanges ; bien sûr, on compte sur lui pour y participer.

À propos !

Sous l'œil attendri de Gabrielle, celui, perplexe, d'Edmond, Delphine sort un mètre de couturier de sa poche, se lève, et prend les mesures de Nils : épaules, longueur des bras, tour de taille. Le pantalon, l'aime-t-il cachant les talons ? Quelle pointure pour les chaussures ? C'est juste pour le dépanner quand il rentrera, avant qu'il ne choisisse lui-même les vêtements qui lui plairont.

« Tu as tellement grandi, mon chéri ! »

Depuis la tenue portée par le présumé coupable lors de son procès ?

Puis le ton d'Edmond change, se fait grave. Graves aussi, les visages de Delphine et de Gabrielle. Simplement, directement, à son habitude, sans chercher à éluder le problème, il l'expose à Nils. La nouvelle de sa libération anticipée a été un choc pour certains. Verrait-il un inconvénient à ne pas occuper immédiatement la dépendance de Roselyne, qui lui revient de droit depuis sa majorité ? S'il est d'accord, il pourrait s'installer dans un studio en ville, près de l'atelier de Nicolas Santini, en attendant que les esprits s'apaisent. Et bien sûr, rien ne l'empêchera de venir aussi souvent qu'il le souhaitera, prendre ses repas au château ou chez les parents de Fine. À moins que ce ne soit eux qui viennent partager les siens chez lui.

Un choc pour certains, sa libération ? Parmi eux, sans aucun doute, Béatrix et « ses hommes », avec lesquels il voisinera, la dépendance de Roselyne jouxtant la leur. Mais c'est surtout Monique, son visage hostile, son regard fuyant le sien lors du procès, qui apparaît en gros plan à Nils.

Lui vivant au château, elle ne pourra plus l'éviter.

Et il va faire à son grand-père sa première réponse d'homme : il préfère occuper, dès sa sortie, la dépendance de sa mère. Passant ses journées chez Nicolas Santini, on ne l'y verra guère. Il saura se montrer discret.

Tandis que, d'une voix ferme, il exprimait son vœu, le regard de Gabrielle ne l'a pas quitté. « Une fois rentré au château, rien ne t'empêchera de regarder les choses d'un peu plus près », lui avait-elle suggéré deux années auparavant.

Il lui semble qu'elle a compris.

« Comme tu préfères », s'incline son grand-père.

« Et vis-à-vis de Werner, qu'éprouviez-vous ? De la haine ? L'envie de venger votre mère ? » lui avait demandé Jean Delacroix, le psy, au tout début de son incarcération. Nils avait parlé d'« ogre lointain » et il s'était contenté de répondre que la mort du souteneur l'avait soulagé.

Peut-on appeler « haine » cette froide colère en lui à l'égard de la femme qui n'a pas hésité à lui faire porter le poids du crime commis par son fils ? Et nommer « vengeance » la décision qui, jour après jour, depuis sa découverte, s'est imposée à lui ?

Ce sont les enfants qui parlent d'« ogre » et sont prêts à se sacrifier pour ne pas perdre ceux qui les aiment et les protègent. Nils a grandi.

Sa décision est prise : par sa seule présence au château, et le malaise qu'elle provoquera, il obligera Monique à se démasquer.

Rien ni personne ne l'en empêchera.

TROISIÈME PARTIE

LA PREUVE

1

Edmond

Jamais Edmond ne se serait attendu à la réaction de Monique lorsqu'il avait annoncé à la famille, rassemblée au salon en cette veille de départ à Oléron, la nouvelle de la libération anticipée de Nils et, dans la foulée, le désir de celui-ci de s'installer dans la dépendance de sa mère.

Hystérique !

Certes, il avait prévu des larmes, des reproches, voire un cri de colère, mais cette haine, ces vociférations cette… folie les avaient tous pris de court : « Nils au château ? L'assassin libre de les narguer sous ses airs d'ange ? Ne devait-il pas rester encore une année derrière les barreaux ? »

La lumière dorée d'une fin de soirée, éclairant la femme en robe sombre, debout, le visage blême, pommettes tachées de rouge entre les bandeaux gris des cheveux, se tordant les bras, ajoutait à l'atmosphère de tragédie. Il avait serré discrètement la main de Delphine.

Baudoin, sans doute honteux vis-à-vis d'Agnès, la jeune femme de Thibaut, du spectacle qu'offrait sa sœur, était allé vers elle pour tenter de la raisonner, mais elle s'était débattue. C'est Jeanne, bien sûr présente, qui avait eu le geste adéquat. Elle avait écarté Baudoin, présenté à Monique un verre d'eau tout en lui murmurant quelques mots à l'oreille, et celle-ci s'était comme brusquement réveillée. Après avoir bu et regardé autour d'elle d'un air égaré, elle était retombée dans son fauteuil.

Les visages s'étaient détendus, sauf celui de Philippine, outrée de voir son cousin si injustement traité et à laquelle Edmond avait adressé à plusieurs reprises des signes autoritaires : chut ! Tous les regards avaient suivi Agnès tandis qu'elle se glissait dans le bureau où dormait sa petite fille pour s'assurer que les cris de Monique ne l'avaient pas réveillée. À son retour, elle avait adressé à Edmond un sourire complice qui lui était allé droit au cœur.

L'arrivée dans la famille d'Agnès, fille de l'architecte bien connu Hubert Faugère, puis celle de la petite Aurore, avaient ramené du soleil et de la gaieté au château. Elle-même décoratrice d'intérieur, Agnès avait très vite repris son travail après l'accouchement, malgré les réticences de Thibaut qui aurait préféré la voir rester à la maison. Agnès savait ce qu'elle voulait, et elle l'exprimait avec tant de tact, de doigté, que nul ne lui résistait. Agnès, « âme blanche de la famille », comme le disait si joliment Victor Hugo.

Monique, âme sombre…

Depuis le placement d'Alexander aux Mésanges, elle semblait pourtant apaisée, il arrivait même qu'on la voie sourire. Le retour de Nils, ce bonheur pour Delphine et lui, allait-il rallumer la guerre entre les « pour » et les « contre », comme les appelait Philippine ?

Il ne le permettrait pas.

Puis Baudoin s'était exprimé :

— Père, tu as parlé du « désir » de Nils de s'installer dans la dépendance ; ne serait-il pas préférable que, au moins durant quelque temps, il reprenne la chambre qu'il occupait au château ?

Objection à laquelle Edmond s'était attendu.

Travaillant avec son père, Thibaut avait tenu à rester dans la dépendance familiale après son mariage, et, avec la venue du bébé, ils se trouvaient plus qu'à l'étroit. La nuit, lorsque la petite pleurait, troublant le sommeil de la maisonnée, Edmond n'ignorait pas qu'une chambre était « empruntée » à Roselyne. Sur le conseil de Delphine, il fermait les yeux. Il n'avait pas prévu le refus de Nils de s'installer provisoirement à Cognac, près de son travail, un refus si net qu'il l'avait pris de court.

— Depuis sa majorité, la dépendance de sa mère revient de droit à Nils. Il a souhaité vivement l'occuper, j'ai accepté, avait-il répondu fermement.

— Bonjour l'ambiance ! avait lancé Louis-Adrien.

Et comme souvent avec lui ou avec Philippine, Louis-Adrien l'humour, Philippine le feu, la tension avait baissé d'un cran et Edmond avait respiré : allons, tout n'était pas perdu !

— Puis-je dire un mot ? avait demandé Agnès.

— Mais bien sûr, nous vous écoutons, ma chérie, avait répondu Delphine avec empressement.

— Il m'est venu une idée pour aménager une chambre supplémentaire chez nous, en agrandissant la cuisine et en supprimant la salle à manger. Si vous m'y autorisez, je vous en montrerai les plans.

— Nous les examinerons volontiers, avait répondu

Delphine, mais nous connaissons votre talent, aussi est-ce oui d'avance.

Béatrix avait souri fièrement ; elle et Agnès…

— Personnellement, je suis prêt à céder ma chambre si grand-père me veut bien au château quand je ne commercerai pas à Bordeaux, avait déclaré dans la foulée Louis-Adrien qui, jusque-là, fermait sa porte à clé : le miracle Agnès ?

Cette fois, Philippine n'avait plus résisté, applaudissant bruyamment.

— Eh bien, tout baigne, non ?

La main apaisante d'Hermine s'était posée sur le bras de sa nièce : trop tard, Monique était relancée !

— Tout baigne ? Voilà donc ce que vous pensez tous ? Tout baigne ? Ce Nils ici jour et nuit à fourrer son nez partout, à jouer à ses petits jeux hypocrites, à espionner…

— De quels petits jeux parles-tu, Monique ? l'avait interrompue Edmond, irrité. Et quand as-tu vu Nils se montrer indiscret ?

D'aiguë, la voix était passée au sourd, au sombre :

— Je sais ce que je sais…

— Ce que tu ignores apparemment, c'est que Nils est d'ores et déjà embauché par notre ami Santini et qu'il a décidé de faire de sa passion du bois son métier, avait-il continué. Il ne lui restera donc que peu de temps pour… espionner, si c'est ce que tu crains. Et espionner qui ? Dans quel but ?

De nouveau, Monique s'était tue.

— Travailler le bois ? s'était exclamée Agnès avec enthousiasme. Il n'est pas plus noble métier. Sans bois, une maison est sans racines, un fragile château de verre. Elle avait pris un faux air effrayé : Surtout, ne le répétez pas à mon père qui ne jure que par les gratte-ciel.

Et là, Monique exceptée, le rire avait été général.

L'heure du dîner approchait, Edmond avait conclu en formant le vœu que Nils soit accueilli sans hostilité et que, une bonne fois pour toutes, le douloureux sujet qui avait mené à sa condamnation soit clos.

Le fait que Baudoin, qui avait craint un temps que Nils n'entre, d'une façon ou d'une autre, dans l'entreprise, soit rassuré sur ce point faciliterait les choses. Tout le monde s'était retiré.

Plus tard, Edmond s'interrogerait sur ce qu'avait voulu dire Monique par les « petits jeux » de Nils et d'où lui venait cette crainte exagérée à l'idée qu'il revienne vivre au château. Il en conclurait que trop de malheurs avaient, hélas, altéré la santé mentale de sa fille. Les vacances demain, le départ d'une partie de la famille pour Oléron, sans celle-ci, ferait du bien à tous.

Plus tard, bien plus tard, lorsque éclaterait la terrible vérité, Edmond se demanderait comment aucun soupçon ne l'avait effleuré durant cette détestable soirée et s'il n'avait pas volontairement fermé les yeux pour échapper au pire.

2

Fine

— À quoi penses-tu, ma Fine ? demande maman avec un sourire qui veut dire qu'elle se doute.

À tout, à trop !

Et ce n'est pas le ciel d'Oléron qui arrange les choses. La « Lumineuse », comme certains nomment l'île, fait grise mine cet été. Vents de suroît et de noroît se partagent la tâche pour chasser le soleil, bousculer la mer, menacer les timides voiliers, tandis que le vent de terre vous envoie du sable dans les yeux. Grand-mère a même renoncé à son bain quotidien, c'est dire !

Alors, on se rabat sur les jeux, on retombe en enfance : Monopoly, petits chevaux, bridge pour les calés, tarots pour les superstitieux. On va voir n'importe quels films dans les quelques salles de l'île et, dès que le soleil pointe le nez, on essaie de prendre un peu de couleurs pour la rentrée, tout en sachant qu'en huit jours elles se seront évaporées.

Philippine prend des leçons clandestines de moto sur celle d'un copain, pour le permis qu'elle passera en septembre, je lui fais réviser son code. Son « gros cube », elle l'a déjà : le rouge de Gabrielle qui vient d'en changer et qu'elle a gardé pour le lui vendre (prétendument) d'occasion. Côté futur grand reporter – pas de féminin à ce métier-là –, oncle Baudoin a accepté de l'inscrire dans une école de journalisme qui vient de s'ouvrir à Angoulême. Philippine finit toujours par obtenir ce qu'elle veut.

Le souci pour moi, c'est que je ne suis pas toujours sûre de ce que je veux. Qu'est-ce qu'une vocation ? Ça vient comment ? Ça monte de quoi ? D'une envie ou d'un manque ? D'un bon exemple ou parfois d'un mauvais que l'on se refuse à suivre, alors on va en sens contraire ? J'ai toujours eu envie de m'occuper d'enfants, et puis un jour, j'avais quatorze ans, un garçon au passé cruel a débarqué au château. Il y avait de la tristesse dans ses yeux, grand-père nous a demandé de l'aider à retrouver le sourire, il me semble que c'est ce jour-là que j'ai décidé de donner une chance à ceux qui n'avaient pas eu la mienne.

« Ne te presse pas, ma Fine, me recommande maman, prends ton temps pour choisir une voie qui te convienne réellement et où tu t'épanouiras. »

En attendant de m'épanouir, je me suis inscrite au service social de la mairie pour accompagner, à la rentrée, un petit handicapé à la maternelle.

À propos de vocation, on dit de certains qu'ils ont celle du bonheur. Tante Monique aurait-elle la vocation du malheur ?

*

La meilleure semaine à Oléron a été celle où Thibaut et Agnès sont venus avec Aurore qu'on n'a plus le droit d'appeler « bébé » depuis qu'elle se dresse sur ses jambes et appelle tante Béatrix « Bée ». Quand Aurore est là, tante Bée devient un beurre, elle fond. « Un beurre salé », rigole Philippine. Et, avec Agnès, ciel gris ou non, la maison s'est dévergondée. Elle a bougé trois meubles, jeté sur les canapés des tissus à quatre sous achetés au marché, mis des bouquets là où on ne les attendait pas et les murs, qui en étaient restés au tango, sont passés au rock'n'roll.

Agnès n'a que vingt-quatre ans, nous dix-sept et demi, c'est tout près. Elle rêvait d'une petite sœur, en voici deux ! Nous d'une grande, c'est fait ! On a beaucoup parlé de Nils, on lui a raconté les « pour » et les « contre », et que nous nous étions promis de l'aider à prouver son innocence : une de plus de notre côté.

Quand elle est partie terminer ses vacances à Megève où ses parents possèdent un chalet, ça a fait un grand vide dans la maison.

Le beau temps a daigné revenir la dernière semaine. On s'est vengées des vents rabat-joie en organisant des soirées sur la plage, soirées pieds nus, barbecue, guitare, danse, et qui, pour Philippine, se sont le plus souvent terminées au creux d'un lit bateau dans la cabane de pêcheur du père de son petit ami. On les appelle des « cabanes d'artiste » depuis que les touristes les ont récupérées et en ont fait des petits palais ; il y en a de toutes les couleurs, comme un collier autour de l'île.

Philippine a sauté le pas l'hiver dernier et, bien sûr, dès le lendemain, j'étais dans la confidence : « C'est fabuleux, ça te coupe les forces, tu planes, tu voudrais que ça dure toujours et, quand ça s'arrête, t'as qu'une envie, c'est de recommencer. »

Il était du genre volage, et même si elle ne l'a pas

dit, elle en a bavé et depuis elle s'est juré de ne plus s'attacher et de rompre toujours la première. Elle se balade de l'un à l'autre, achète des préservatifs à la pharmacie, le front haut, sans essayer de faire passer la pilule en demandant avant de l'aspirine ou du dentifrice – pilule qu'elle prend, d'ailleurs, ce n'est donc pas elle qui tombera enceinte sans l'avoir voulu.

Gros cube, reporter, pilule et préservatifs, parfois je plains tante Béatrix.

« Et t'attends quoi, toi, Finaude-la-Pudeur ? Le grand amour ? Le coup de foudre, le bon, le seul, l'unique ? T'as pas compris qu'il n'existait pas ? Avoue ! »

J'avoue.

J'ai embrassé deux ou trois garçons sans tellement planer et je ne suis pas allée plus loin. J'ai été mal élevée par mes parents, maman qui n'arrête pas de me répéter que l'amour est cent mille fois meilleur quand corps et cœur sont associés, papa qui regarde maman comme la septième merveille du monde ; et il faut reconnaître que, pour le rester, elle marche sur la tête : crème de nuit régénératrice anti-âge le matin, dès qu'il a le dos tourné ; crème de jour teint éclatant, le soir avant qu'il rentre. Ma mère est une « belle de nuit ».

Papa a été son premier, le bon, le seul, l'unique. Lui ? Mystère. Et maman ne se prive pas de le menacer, par exemple après avoir vu un film où tout le monde couche avec tout le monde : « S'il te prenait un jour l'idée d'en regarder une autre, tu verrais ce que tu verrais, mon trésor, n'ose même pas penser à la façon dont ta septième merveille du monde se vengerait ! »

Et papa rit comme un benêt, il se jette sur elle, tous crocs sortis : « En regarder une autre, alors que j'ai celle-là sous la main ? Dégagez les enfants, j'ai deux mots à dire à votre mère. » L'amour, l'humour, la joie…

Alors, forcément, ça donne envie de suivre l'exemple, même si on n'ose pas le dire pour ne pas être traitée de tarée.

À la décharge de Philippine, on a du mal à imaginer tante Béatrix et oncle Baudoin faisant des galipettes en riant sous la couette.

« Finaude-la-Pudeur… » Philippine a raison, je suis rétro. L'amour, je le vois comme dans les vieux films américains : une vague qui déferle, vous roule dans son écume, éclabousse le ciel. Bref, j'attends d'être emportée : corps et âme.

« À quoi tu penses, ma Finette ? » demande maman avec un sourire qui veut dire qu'elle se doute.

À tout. À trop ! À la mer déchaînée, aux racines d'une vocation, à Nils qui reviendra dans un peu moins d'un mois.

3

Nils

D'abord, même si vous n'avez rêvé qu'à ça, qu'on appelle la liberté, sans toujours saisir, vous saisir de l'incomparable cadeau contenu dans ce mot, libre tout simplement de marcher devant vous jusqu'à plus soif, plus faim, sans rentrer les épaules en redoutant la main qui s'y posera : « Allez, on rentre, terminée la balade ! »

Même si, semaine après semaine, cette liberté, on a tout fait pour vous aider à l'apprivoiser – mais apprivoise-t-on comme ça un ciel sans frontière, une mer ouverte sur tous les horizons, du bleu à l'infini ? On y plonge, plein de vertige, des bouts de mur accrochés partout, et, sans clé dans sa poche pour refermer sur soi une porte protectrice, parfois on s'y noie.

Le plus drôle, c'est que, alors qu'en prison on rêvait la nuit de grands espaces, une fois libre, c'est un bruit de trousseaux de clés qui vient empoisonner votre sommeil.

*

Nils avait été incarcéré le premier jour de l'été, un peu plus de trois années plus tard, c'est le dernier jour de celui-ci, samedi 21 septembre, qu'il est sorti.

Son départ avait été fêté la veille autour d'un repas meilleur que de coutume et d'un verre de mousseux. Tous avaient trinqué à sa libération, sans grand enthousiasme, car durant son séjour à La Quille – finalement, il détestait ce nom – il ne s'était fait aucun véritable ami, tout au plus quelques camarades. Est-il d'amitié sans confiance ? Nul n'ignorait ici qu'il avait plaidé innocent, personne ne le croyait : pas d'innocent ici ou alors son avocate, la jolie blonde, avait saboté son boulot (rires). Alors il s'était tu, et les seuls qu'il regretterait seraient le contremaître de l'atelier de menuiserie et le moniteur de sport, les deux qui, en quelque sorte, lui avaient appris à nager en prévision de sa nouvelle vie.

À dix heures, ses grands-parents l'attendaient devant le portail. Il s'est assis à côté de Delphine, à l'arrière de la voiture, et Edmond a pris le volant ; c'était bien que Pierre ne soit pas là ! Tant à dire, trop, alors ils ont laissé le paysage parler pour eux. Les vendanges commençaient, un peu en avance cette année, le ciel hésitait entre nuages et soleil, toute la vie était là, le pourpre-sang des feuilles mêlé aux lourdes grappes dorées, l'espoir, la crainte de l'orage, et aussi tout son mystère, au creux des alambics où bientôt serait versé le grain.

Lorsque, la grille franchie, Edmond a arrêté son véhicule devant la dépendance de Roselyne sans que personne ne se précipite à leur rencontre, Nils a compris que consigne avait été donnée de le laisser respirer un moment et il a été soulagé.

« Si tu veux bien, nous nous retrouverons vers 13 heures au salon, tu connais le chemin, a proposé son grand-père. En attendant, prends un peu de détente chez toi. »

Chez lui, chez sa mère, les volets étaient ouverts, les fenêtres garnies de voilages immaculés. Sur la table de bois, un bouquet de lilas mauve-rose s'épanouissait, au creux duquel il a plongé son visage : Delphine ? Devant le canapé, un écran plat de télévision : Edmond ? Et, à la cuisine, dans le réfrigérateur, boissons et autres provisions : Jeanne ?

À l'étage, dans la plus belle chambre, celle avec salle de bain, sur la couette du grand lit, une carte décorée d'un cœur, signé par ses cousines.

*

De l'autre côté de la cloison, le cri d'un bébé le réveille : midi trente ! Nils a dormi plus d'une heure, ou plutôt, il est tombé. Voici qu'il perçoit une douce voix de femme, il se lève en vitesse, passe sous la douche, enfile un jean, une chemise, des baskets, le tout neuf, à sa taille, trouvé dans la penderie : Delphine ! À présent, le bébé rit : Aurore. L'aurore d'une nouvelle vie ?

Et tous sont là lorsqu'il fait son entrée au salon. Tous sauf Monique, bien sûr, il s'en avisera plus tard. Les premières à courir l'embrasser, Philippine et Fine, suivies de Benjamin, mon Dieu, comme il a grandi, presque un jeune homme, mais toujours ce sourire timide, il faudra qu'il s'en occupe ! Les parents de Fine l'entourent, affectueux.

Puis Baudoin, Thibaut et Louis-Adrien, cravatés, s'avancent et lui serrent la main avec un « Bienvenue » un peu contraint. Enfin, Béatrix, accompagnée d'une jolie jeune femme blonde, une minuscule fillette sur sa hanche.

« Bonjour, Nils. Je suis Agnès, la femme de Thibaut. »

Et comme elle lui tend la joue, il hésite avant de l'effleurer de ses lèvres.

Invente-t-il ce silence ?

« Et voici notre Aurore ! »

Des boucles de soie blondes, de grands yeux clairs, innocents, qui semblent s'interroger entre deux fossettes. Va-t-il oser l'embrasser elle aussi, lui soupçonné de…

Jeanne, sans états d'âme, dissipe la gêne et le tire d'embarras en s'emparant de ses mains : « Oh ! monsieur Nils, monsieur Nils, enfin… »

Un buffet a été dressé dans la salle à manger, une bonne idée. Ainsi ne verra-t-il pas qui sable ou non le champagne en l'honneur d'une libération diversement appréciée.

*

Durant l'après-midi, une virée avait été prévue en ville pour y effectuer deux achats importants : un scooter, modèle sans permis, qui permettrait à Nils d'aller à son travail, et un portable en remplacement de celui reçu trois années auparavant à l'occasion de son anniversaire. Parmi la profusion de modèles et de possibilités, il a choisi le basique pour commencer. Et, bien sûr, Philippine a râlé : même pas un avec lequel il pourrait prendre des photos ? Il a répliqué en riant que, partant sur de nouvelles bases, c'était bien le « basique » qu'il lui fallait.

Edmond a frappé à sa porte avant qu'il ne se rende au dîner prévu chez les parents de Fine. Il voulait lui dire quelques mots au sujet de Monique. Nils ne l'avait pas vue aujourd'hui et ne devait pas s'attendre à la rencontrer avant… un certain temps. Il ne lui a pas caché qu'elle avait très mal pris la nouvelle de sa libération anticipée et surtout sa décision de s'installer chez Roselyne. Delphine et lui avaient espéré qu'avec le placement d'Alexander aux Mésanges, où il semblait se plaire, elle retrouverait un peu de paix. Hélas, il n'en était rien.

Il a posé la main sur l'épaule de Nils.

— Ne lui en veux pas, je t'en prie : elle est si malheureuse.

— Je sais, s'est contenté de répondre Nils.

Il n'en dirait pas plus. La simple idée qu'Edmond puisse le soupçonner un jour de s'être renseigné auprès de lui sur sa tante pour mieux la confondre par la suite lui était insupportable.

Il lui faudrait agir sans aide.

C'est cette nuit-là que pour la première fois il a rêvé qu'il se retrouvait en prison. Il frappait désespérément à la porte, suppliant qu'on le libère.

De quels liens ? Quel amour trop grand ?

4

Nils

Alors, dès que le jour se lève, pour chasser cette angoisse, dissiper ce poids dans sa poitrine, se débarrasser des « bouts de mur » dans sa tête, il prend le vélo mis à sa disposition en attendant son scooter, dans le petit appentis derrière la maison. Plus aucune trace de la cabane, l'herbe a repoussé, quelques feuilles mortes en or fripées cachent joliment l'endroit où la mort est passée. Il s'interdit de regarder dans la direction de l'arrière-cuisine de Monique. « Elle est si malheureuse… » Quelle faille dans la voix de son grand-père lorsqu'il a prononcé ces mots !

Le code de la grille a changé, Fine l'a inscrit d'autorité dans le répertoire du portable de Nils : « Pour que tu rentres sans souci. » Les volets de la maisonnette du gardien, un ancien militaire surnommé le « colonel », auquel on l'a présenté, sont fermés. Pauvres Alvarez ! Pauvre petite Maria qui aurait presque huit ans aujourd'hui.

Il n'enfourche son vélo qu'une fois sur la route. La journée s'annonce aussi belle que celle de la veille, les couleurs de l'été indien se marient superbement avec celles de la vigne où, déjà, les travailleurs sont à la tâche.

Lorsqu'il arrive à Cognac, les rues s'animent, le marché se prépare sous les halles de la place d'Armes. Après avoir enchaîné son vélo, il y fait un tour, un test. Ces allées, il les a arpentées avec sa grand-mère, va-t-on le reconnaître ? Le suivre des yeux, sourcils froncés par l'interrogation : ne serait-ce pas Nils ? Nils de Saint Junien, vous savez, celui qui…

« Pour que tu rentres sans souci », a dit Fine hier. Il est de retour sans souci dans sa ville, un flâneur comme un autre, apostrophé par les commerçants : test concluant.

Non loin, voici la place François-Ier, et la brasserie où, les jours de forte chaleur, les sorbets pris en terrasse à l'ombre des parasols étaient si délectables. Les parasols ont disparu mais quelques tables ont été sorties. Nils prend place à l'une d'elles. Comme le garçon s'approche, son cœur bat plus fort : Salvador ! Ainsi appelé en raison de sa moustache à la Dalí, de sa coiffure inspirée du grand peintre et d'une certaine malice : l'une des figures de la ville. On vient autant pour consommer que pour se faire gentiment charrier par lui.

« Nils, Nils Holgersson ! s'était-il exclamé lorsque sa tante Hermine le lui avait présenté, mais c'est toute mon enfance ! » Sans se douter que c'était aussi celle de Nils de Saint Junien. Il se redresse, fixe le garçon qui s'incline cérémonieusement.

— Et pour milord ?

— Un café s'il vous plaît.

— Comme si c'était fait !

Test confirmé.

*

Huit heures sonnaient à l'église Saint-Léger lorsque Fine s'est enfin décidée à se montrer. Elle a arrêté son Solex près de son vélo et, tandis qu'elle retirait son casque, ses courtes boucles châtain doré ont moussé autour de son visage. C'était joli. Elle portait un pantalon blanc, des chaussures de tennis, un gros pull de couleur. Elle est venue vers lui et, arrivée à sa table, d'une petite voix d'excuse, elle a débité d'une traite :

— Je ne dormais pas, j'aime bien regarder le jour se lever, je t'ai vu sortir, j'ai eu très peur que tu t'en ailles.

Il la connaissait assez pour savoir combien il avait dû lui falloir de courage pour le suivre jusqu'ici et oser l'aborder, en plus sans Philippine comme bouclier. Alors Nils s'est levé, il a pris ses épaules entre ses mains et il l'a embrassée.

— Moi, j'ai passé une sale nuit, mais maintenant que tu es là, ça va !

5

Fine

Moi aussi j'avais passé une sale nuit : ce dîner catastrophe avec Nils alors que je m'en étais fait une telle joie.

On avait prévu une soirée toute simple, calme, sans grandes effusions : une « soirée-évidence », eh bien voilà, tu es rentré, tu es là, pour de bon, de vrai et on n'en parle plus. Pas de champagne, inutile d'en rajouter, on en avait déjà bu à midi, plutôt un apéritif sans façon, autour d'un kir, tout le monde aime ça et Benjamin y aurait droit, suivi d'un repas sans tralala : paupiettes de veau-purée, ça sonne bêta mais c'est bon, spécialité de maman, mousse aux deux chocolats, ma spécialité.

Dès que je lui avais ouvert la porte, j'avais compris que quelque chose n'allait pas, n'allait plus, car cet après-midi, pendant les courses, il était plutôt joyeux. Il avait même plaisanté avec Philippine au sujet de son portable. Philippine exige toujours le top, qu'importe le prix, on voyait que Nils aurait préféré se l'offrir lui-même.

Là, il avait beau essayer de le cacher, son sourire

était forcé et, avant d'entrer au salon où tout le monde s'était levé, bras et cœurs ouverts, il avait pris une grande inspiration comme pour se donner du courage, mais sa voix crispée et ses efforts pour paraître gai n'avaient trompé personne.

Selon son habitude, papa avait tout fait pour détendre l'atmosphère. Vu qu'on ne savait pas ce qui lui était arrivé, ça tombait à plat, et le comble, moi qui m'étais félicitée que Philippine ne se soit pas rajoutée – samedi, boîte de nuit –, voilà que je la regrettais ! On aurait pu compter sur elle pour mettre les pieds dans le plat : « Eh, oh, qu'est-ce qui ne va pas ? Tu en as déjà marre de nous, c'est ça ? » Et ça aurait peut-être déverrouillé Nils.

Le kir avalé en vitesse, avec zakouskis en guise de hors-d'œuvre, on était passés à table. Pendant les paupiettes, Nils avait interrogé Benjamin sur l'école, cette année brevet des collèges, et le mot banni, « prison » ; c'était lui, Nils, qui l'avait prononcé. En prison, il avait beaucoup lu, si Benjamin le souhaitait il pourrait l'aider. Et Benjamin s'était tortillé dans tous les sens en nous regardant pour savoir ce qu'il devait répondre.

Après, mon tour était venu : « Et toi, Fine ? » Et même si je n'avais aucune envie de parler de moi sous ce ciel brouillé, il avait bien fallu y aller.

Moi, chaque matin, j'accompagne Paulin à la maternelle, grande section. Il a cinq ans, il est super intelligent, gai et heureux de vivre. À part ça, il est aveugle de naissance, sans regrets ni jalousie vis-à-vis des autres puisqu'il ne sait pas ce qu'il perd. Il commence à apprendre le braille et attend avec impatience d'avoir son chien qui l'accompagnera partout.

Pendant que je racontais, il m'avait semblé que Nils

était vraiment intéressé, de petites étincelles dans ses yeux, j'avais même eu peur qu'il devine que c'était à cause de son passé que j'avais choisi de m'occuper d'enfants en difficulté et je ne m'étais pas attardée.

Pour meubler le silence, maman avait fait un tour de famille, raconté combien Agnès et sa petite Aurore semblaient apporter de bonheur à tante Béatrix qui, jusque-là, entre ses hommes et sa rebelle – Nils avait souri –, n'avait pas eu tellement de douceur dans sa vie, Béatrix dont les défenses tombaient peu à peu.

— Baudoin, lui, prend progressivement les rênes de l'entreprise avec Thibaut. À soixante-quinze ans, il est temps que ton grand-père se repose un peu.

Et là, c'étaient les défenses de Nils qui avaient craqué d'un coup.

— Grand-père est malade ? avait-il demandé d'une voix affolée.

— Mais pas du tout ! avait vite répondu maman pour le rassurer. Il se porte comme un charme. Ta grand-mère aussi, d'ailleurs.

Et Nils avait remonté ses barrières.

La seule dont on n'avait pas dit un mot, c'était tante Monique, alors qu'elle habite la porte à côté. Son salon donne sur notre salle à manger et Philippine assure qu'elle vit l'oreille scotchée à la cloison pour nous espionner : « Méfiez-vous, elle est raide dingue. » « Raison de plus pour ne pas la laisser à l'écart », rétorque maman.

Ma mère est comme ça : elle croise un unijambiste ou un manchot et, au lieu de se détourner et de marcher plus vite comme font la plupart des gens, elle s'approche tranquillement de lui et, sans fuir son regard, sans s'apitoyer, avec un véritable intérêt, elle demande : « Comment allez-vous aujourd'hui ? » Le plus fort c'est que, jusque-là, elle ne s'est encore jamais fait jeter, au contraire : en avant pour les confidences ! Tout ce que demandent ceux qui ne sont pas comme les autres, c'est d'être interrogés sur leur forme, leur humeur du jour, leurs projets, parler de tout, de rien et de n'importe quoi, comme tout le monde.

C'est pour ça que – foldingue ou non – maman faisait des petites visites à tante Monique, des « Coucou » par-ci par-là, même si elle n'était pas toujours bien accueillie.

Mais quand, en plein dîner, alors qu'on finissait les paupiettes, on avait entendu, à trois pas de la table, de l'autre côté du mur, éclater une quinte de toux, on avait compris que, pour l'espionnage, Philippine avait raison.

Nils s'était tendu, l'œil fixé sur la cloison, et la quinte de toux s'était éloignée en vitesse.

— Son asthme ! avait soupiré maman. Ta pauvre tante ne va pas bien.

— Je sais, avait seulement répondu Nils.

Et, tout de suite après ma mousse aux deux chocolats à laquelle il avait à peine touché, il nous avait demandé l'autorisation de rentrer chez lui, merci mille fois pour ce délicieux repas, à demain.

« Essaie de te rendre compte de ce qu'a été cette journée pour lui, m'avait fait remarquer papa en nous aidant à débarrasser. Il sort de plus de trois années de prison, il est présenté à une famille dont il n'a pas vu certains membres depuis le drame. L'après-midi, n'y vois pas de reproche, ma Fine, vous l'emmenez faire des courses… Il est normal qu'il n'en puisse plus. On aurait dû attendre demain pour l'inviter. »

Bien sûr, maman avait renchéri. Benjamin était allé rattraper son feuilleton à la télé, moi, j'étais montée me coucher, le cœur en capilotade : je savais qu'il y avait autre chose, autre chose de grave, mais quoi ?

*

La nuit, j'ai rêvé que Nils s'en allait. Il nous quittait cette fois pour de bon, pour toujours, il ne reviendrait plus. Alors, lorsque, à sept heures, j'ai entendu crisser le gravier sous les roues de son vélo et que je l'ai vu passer la grille comme un voleur, un fuyard, je n'ai pas hésité, j'ai décidé de le rattraper et de le supplier de rester. J'ai toujours peur de perdre les gens, de ne pas les intéresser assez pour qu'ils s'attachent vraiment à moi. Avec les amis, j'en fais trop ou trop peu, avec les petits copains je n'ai jamais été la première à rompre et, parfois, j'envie Philippine.

Je l'ai suivi de loin sur la route de Cognac. Il n'avait pas de sac, cela m'a rassurée. Et quand, après avoir fait un tour au marché, il s'est arrêté à la brasserie, notre ancien lieu de rendez-vous, à la sortie du collège, pour déguster des glaces ou des sorbets, cela a été comme s'il me disait qu'il n'avait jamais eu l'intention de nous quitter.

J'ai pris mon courage à deux mains, je l'ai rejoint, je lui ai dit que j'avais eu très peur qu'il s'en aille, et quand il s'est levé, qu'il m'a embrassée, j'ai su que c'était lui que j'attendais, le bon, le seul, l'unique.

6

Nils

Un jour, à l'époque où, tel un petit garçon émerveillé, Nils ne se lassait pas de feuilleter, aux côtés de sa grand-mère, les albums photo du passé, y cherchant une petite fille à tresse blonde, l'air sage, une jeune fille aux boucles folles, la mine têtue, celle-ci l'avait emmené au grenier.

Sous le satiné de la poussière, dans les odeurs décolorées du passé, un cheval à bascule au regard étonné, un élégant landau, une malle bombée remplie de linge fané, semblaient attendre un temps qui ne reviendrait plus. Dans un coin, sous un drap que Delphine avait repoussé, se dressait sur des pieds carrés une ravissante petite commode.

Dessus de marbre délicatement veiné de roux, plaquée d'amarante et de bois de rose, elle se composait de trois tiroirs garnis de poignées en « boutons de carrosse ». Une ravissante petite commode très malade, dont la marqueterie se décollait quand il n'en manquait pas des morceaux.

« La commode de ta mère », avait chuchoté sa grand-mère. Bois de rose – Roselyne, elle n'en démordait pas, clamant qu'elle avait été faite pour elle. Roselyne et ses jolis rêves… Dans le tiroir du haut, elle rangeait ses mouchoirs, ses foulards, quelques corsages sous lesquels elle glissait des sachets de lavande, « Roselyne la lavandière », se moquait Baudoin. Dans celui du milieu, son petit linge, ses socquettes, plus tard, ses bas. Et dans le dernier, que personne n'avait le droit d'ouvrir, ses trésors, ses secrets : poèmes, lettres, photos…

Là, sa grand-mère avait repris son souffle avant de continuer : « Après son départ, nous n'y avons retrouvé qu'un collier de coquillages de l'île d'Oléron, peints par elle de toutes les couleurs, comme un adieu à l'enfance. L'une des rares fois où j'ai vu ton grand-père pleurer. » D'une voix cassée, elle avait ajouté : « Un jour, si tu veux, nous la ferons remettre en état et elle sera tout à toi. »

*

Et voilà que ce premier matin de travail chez Nicolas Santini, l'ébéniste, après l'avoir présenté aux autres compagnons, entraîne Nils, vêtu de la blouse bleu foncé réglementaire, vers un établi sur lequel celui-ci reconnaît la commode de Roselyne. Il reste statufié, incapable de prononcer un mot.

« Madame ta grand-mère nous en a confié la restauration. Que dirais-tu de commencer par là ? »

Le plus beau cadeau qui pouvait lui être fait : restaurer, redonner vie, voix, de ses mains de fils, à la commode de sa mère. Il s'y attelle sur-le-champ.

Il l'a appris durant sa courte formation, c'est une commode Régence, entre les styles Louis XIV et

Louis XV. La remettre en état lui demandera de nombreuses semaines. Les tiroirs retirés, il va s'attaquer pour commencer au corps du meuble, appliquer, ainsi qu'on le lui a enseigné au centre, une résille sur le placage puis, sous l'œil attentif du maître, il décollera la marqueterie, amarante et bois de rose, à l'aide d'un fer chaud, imaginant des parfums exotiques.

Jour après jour, tout au long de son travail, il sentira derrière son épaule le regard de la jeune fille têtue qui revendiquait l'œuvre de l'artiste et refusait qu'on ouvre son tiroir secret, le regard d'une mère qui, pour le protéger, avait renoncé à ses jolis rêves et s'était soumise aux ordres d'une brute. Il voudrait tant qu'elle puisse le voir travailler à lui rendre son âme. Comme elle se réjouirait qu'il lui ait obéi en appelant son grand-père…

Malgré tout ?

*

Chez Nicolas Santini, la journée commence à huit heures. À midi, pause déjeuner. Ceux qui le souhaitent peuvent le prendre sur place, boisson offerte par la maison. À cinq heures, les blouses sont raccrochées aux patères, laissant ainsi à chacun le temps de se livrer aux occupations de son choix. Sur son scooter, Nils aime longer la Charente, évoquer les gabares chargées de pierres, d'armes ou d'eaux-de-vie descendant jusqu'à la mer, avant de remonter, emplies du sel de l'île de Ré. Il lui arrive aussi de retrouver Edmond à la Maison, du côté des alambics, imaginant le subtil et secret travail qui s'y fait : digne fils de sa mère ?

Le soir, il sait qu'il peut s'inviter à dîner chez ses grands-parents ou chez Fine mais, le plus souvent, il préfère rentrer chez lui, apprivoiser ses propres murs, les orner de gravures, profiter de son espace dans un silence qui ne l'effraie plus, parfois animé par les rires ou les pleurs d'Aurore.

Il a appris qu'Agnès étudiait une solution pour ajouter une chambre supplémentaire à la dépendance de Baudoin : cela lui a donné une idée. En cette fin d'après-midi de vendredi… l'occasion va lui être donnée d'en parler à Béatrix.

Depuis que Gabrielle Darcet lui a fait l'éloge de sa tante – une femme « droite, sincère, réservée » –, il ne lui en veut plus, et la solitude où elle vivait « avec ses hommes » jusqu'à l'arrivée d'Agnès l'a touché. La pluie qui tombe à verse l'a obligé à rentrer directement de son travail et, alors qu'il arrive à sa porte, il se retrouve face à sa tante revenant des courses en voiture, Aurore sur son siège enfant, attachée à l'arrière. Il propose son aide et, tandis qu'elle s'occupe de sa petite-fille, il vide le coffre de ses paquets et les dépose dans l'entrée.

Béatrix a retiré manteau et cagoule à Aurore et l'a installée au salon, dans son parc empli d'une profusion de jouets. Nils passe la tête.

— Est-ce que je peux vous dire un mot ?

Après une brève hésitation, Béatrix incline la tête.

— Entre. Veux-tu boire quelque chose ?

— Non merci, je n'en ai pas pour longtemps.

À son invitation, il prend place dans un fauteuil, elle, au coin du canapé.

— J'ai appris que vous cherchiez à vous agrandir, j'ai une proposition à vous faire.

Sous le regard d'abord méfiant de sa tante, il expose son idée : offrir la grande chambre avec salle de bain, au premier étage de sa dépendance, à la famille de Béatrix (il évite de dire que c'est la chambre qu'il occupe).

Le mur est mitoyen, il suffira d'y pratiquer une ouverture. Agnès, dont c'est le métier, s'en acquitterait fort bien.

Le regard de Béatrix est à présent incrédule : peu habituée à donner, donc à recevoir ? Et ce cadeau incomparable venant de celui-là même qu'elle a accusé du pire ?

— J'ai bien trop de place pour moi tout seul, ce sera un bonheur de vous aider, insiste Nils, et je suis sûr que maman serait d'accord…

— Mais le bruit ne te gênera pas ?

Il a un rire.

— La seule que ma proposition pourrait gêner, c'est Monique ; cela m'étonnerait qu'elle apprécie ce rapprochement. Sans doute vaudrait-il mieux ne pas lui en parler.

— Monique ?

Béatrix a répété le nom à voix basse, le front soudain assombri. Monique que Nils n'a toujours pas vue, ni même aperçue, Monique qui se planque ?

Soudain, l'atmosphère se tend, le visage de sa tante se crispe, qu'a-t-il dit ou fait qui ait pu déclencher ce trouble ? Béatrix se passe la main sur le front, émet un pâle merci, promet de réfléchir. Il se lève.

— Si vous voulez bien, pourrez-vous en parler à Agnès ?

Après une caresse légère sur la joue d'Aurore, il passe la porte, lui-même troublé, intrigué. Déçu ?

Sans se douter un seul instant qu'il vient de déclencher la tempête dans le cœur de la femme « droite, sincère et réservée ».

7

Béatrix

« La seule que ma proposition pourrait gêner, c'est Monique », avait dit Nils.

Et ces mots, accompagnés d'un rire sous lequel perçait la blessure, avaient brusquement comme arraché un voile en rappelant à Béatrix ceux de Monique, venue lui rendre visite la veille du retour de leur neveu : « Si Nils vient te voir, s'il t'interroge, refuse de lui répondre, jure-le ! »

Cet ordre ! Cette prière ?

Habituée au comportement excessif de sa belle-sœur, Béatrix avait rétorqué qu'elle s'était engagée, à la demande d'Edmond, à ne pas manifester d'hostilité envers Nils, aussi était-il hors de question de faire un serment qu'elle ne pourrait tenir.

« Bien sûr ! Papa est sous l'emprise de Nils, comme toi sous celle d'Agnès », avait répliqué aigrement Monique.

L'atteignant dans ce qui, miraculeusement, avait éclairé sa vie : le mariage de Thibaut, l'arrivée à la maison d'Agnès puis de sa petite-fille. On est sous l'emprise du mal, de la colère, de la haine. Peut-on être sous celle de la douceur, de la tendresse, de la joie ? Comme d'habitude, Monique délirait.

« Refuse de lui répondre, jure-le... »

Et la colère avec laquelle elle avait réagi lorsque Edmond leur avait annoncé le retour de Nils et son intention de vivre au château.

« Cet assassin ici, jour et nuit fourrant son nez partout, jouant à ses petits jeux hypocrites, espionnant... »

De l'autre côté de la cloison, il lui a semblé entendre de la musique.

Nils et son offre généreuse : sincère, impossible d'en douter. « Cela m'étonnerait que Monique apprécie ce rapprochement », avait-il ajouté.

Un vertige l'a saisie. Comme si un doute trop longtemps retenu explosait dans sa conscience.

« Fourrant son nez partout, jouant à ses petits jeux hypocrites. »

Monique délirant ? Non ! Monique terrorisée par le retour de Nils !

Béatrix a fermé les yeux et une plainte lui a échappé : Xavier ! Si seulement son frère avait été là, son âme sœur, son jumeau. Elle avait vingt-deux ans et venait de se marier lorsqu'il lui avait fait part de son désir d'entrer dans les ordres, un appel, la soudaine certitude que telle était sa voie. Elle avait espéré que sa vocation ne tiendrait pas, elle avait détesté Dieu et, un temps, cessé de pratiquer. Xavier avait persévéré : moine, appels et visites strictement contrôlés.

Soudain, elle a entendu sa voix : « La seule façon de vivre bien est d'être en accord avec sa conscience, de ne jamais tricher avec soi-même. »

Tricher avec elle-même, était-ce ce que Béatrix avait fait jusque-là vis-à-vis de Nils ?

Quel jour, à quel moment, quelle minute, le doute – même pas un doute, l'ombre d'une interrogation – lui était-il venu pour la première fois ? Bien après le drame : cette soirée où Monique avait débarqué chez elle, bégayant de fureur, de terreur ?

« Tu te rends compte, cette avocate, cette Darcet, est venue me piéger jusqu'aux Mésanges. Elle a essayé de me tirer les vers du nez, elle a même parlé à Alexander. Qu'est-ce qu'elle imaginait ? Elle n'a rien eu ! »

« Rien eu » ? Qu'aurait-elle pu avoir ?

« Et toi, il paraît qu'elle t'a interrogée aussi ? T'a-t-elle parlé de moi ? Tu lui as bien dit qu'Alexander dormait quand c'était arrivé ? Tu l'as vu, quand même ! » Oui, Béatrix avait vu Alexander endormi. Et aussi ce tube de comprimés ouvert sur la table basse devant la télévision allumée, ce tube que Monique avait prestement glissé dans sa poche, comme si tous ne savaient pas qu'Alexander était sous tranquillisants, Monique elle-même ne se privant pas de se plaindre qu'il arrivait à l'âge difficile de la puberté.

Béatrix s'est levée avec effort et elle est allée boire un verre d'eau à la cuisine. « Seule, seule… » martelait la pluie aux carreaux. À qui se confier ? Baudoin ne l'écouterait pas. Ses beaux-parents ? Impossible.

Elle est revenue au salon. Agrippée aux barreaux de son parc, Aurore la réclamait : « Bée… Bée… » Elle l'y a puisée, l'a portée jusqu'au canapé, l'a enfermée dans ses bras. La petite se débattait en riant, tambourinant de ses poings minuscules sur sa poitrine, laquelle la force laquelle la fragilité, ô ma douce, mon trésor, mon innocence, aide-moi !

Le plus grave… Ce sur quoi elle aurait dû s'attarder ? Ce dont elle avait voulu se convaincre que cela n'avait pas d'importance ?

Béatrix a fermé les yeux : allez !

Monique à la barre après avoir prêté serment, accusant, dénonçant, répétant encore et encore que ni elle ni Alexander n'avaient quitté leur maison de toute la matinée, pas mis le nez dehors. Et soudain, tel un éclair, cette brève vision : Monique refermant sur elle la porte de l'arrière-cuisine donnant sur le petit bois. Mais dans sa courette se trouvait la poubelle que venait chaque soir chercher le gardien ; sans doute était-elle allée simplement y jeter les reliefs du repas.

Quelle heure était-il déjà ? Quelle heure exactement ?

Fin de matinée, peu avant que Monique ne l'appelle pour lui emprunter son mixeur.

Chez Nils, la musique s'est tue. Il a semblé à Béatrix entendre son pas monter l'escalier.

« La seule que ce rapprochement pourrait gêner, c'est Monique… »

Monique revenait-elle de la cabane lorsqu'elle l'avait surprise rentrant chez elle ? Monique qui les y avait entraînées tout droit, Mme Alvarez et elle, comme si elle savait ce qu'elles allaient y trouver ?

Mais non, qu'allait-elle imaginer ? Béatrix n'avait-elle pas vu, de ses yeux vu, Nils frapper Maria ?

« Seulement de petites tapes pour la réanimer », avait plaidé son avocate.

Monique criant : « Il l'a violée ! »

Alexander… âge difficile.

Oh, mon Dieu !

Dans les bras de Béatrix, Aurore s'était abandonnée. Le pouce dans sa bouche, elle respirait doucement, régulièrement. Béatrix a enfoncé son visage dans les légères boucles blondes. Xavier, aide-moi !

Le bruit d'une voiture s'arrêtant devant la maison l'a fait sursauter : Agnès.

« Si vous voulez bien, pourrez-vous lui en parler ? » avait demandé Nils.

La porte s'est ouverte.

— Coucou, maman Béa, tout va ?

Pas encore, pas maintenant, reprendre tout depuis le début, avoir une certitude.

— Tout va, ma chérie, regarde, Aurore s'est endormie !

8

Fine

Je pense que, même si on n'arrête pas d'agresser sa mère : « Tu ne comprends rien, t'es nulle, eh, oh, réveille-toi, grande nouvelle, on a changé de siècle ! », même si on la regarde avec pitié et qu'on fait tout pour lui déplaire, comme Philippine avec tante Béatrix, on ne peut pas s'empêcher de l'aimer au moins un peu. L'agresser est même une façon de lui crier très fort : « Regarde-moi, je t'aime, et toi ? »

Entre Philippine et sa mère, il y avait comme une barrière derrière laquelle elles s'observaient, chacune attendant que l'autre fasse le premier pas, mais aucune ne bougeait et parfois on avait une impression de gâchis, de souvenirs enterrés vivants et qui, en pourrissant, fabriqueraient du regret.

Bien sûr, maman s'employait à les rapprocher. Elle faisait à Philippine l'éloge de tante Béatrix, une femme sincère, droite, sur laquelle on pouvait compter. Et Philippine rigolait : « Droite ? » Elle l'aurait préférée un peu penchée, comme la tour de Pise, par exemple. Philippine avait toujours ce genre d'esquive et on ne pouvait pas s'empêcher de rire avec elle.

Un jour – « chut ! », de la tristesse dans les yeux –, maman avait rappelé à Philippine la déchirure éprouvée par sa mère quand son jumeau, Xavier, était entré dans les ordres ; même faux jumeau, il était une moitié d'elle-même. Et là, Philippine m'avait désignée d'un air féroce : « Ma fausse jumelle à moi, je ne la perdrai jamais, sinon gare ! », et malgré la menace, ou plutôt grâce à elle, cela m'avait fait plaisir.

Mais en tout cas, jamais on n'aurait pu imaginer que ce serait Philippine qui donnerait le premier coup de pied à la barrière qui la séparait de sa mère, ni nous douter du cataclysme que cela déclencherait dans la famille.

*

Elle, dans son école de journalisme, moi, accompagnant Paulin à la maternelle, on se voyait moins et ça me manquait. Alors, quand ce soir-là, après le dîner, elle s'est glissée dans ma chambre, il m'a semblé être revenue au bon vieux temps.

On a tous des « bons vieux temps » même si, à la réflexion, ils n'étaient pas si bons que ça, certains même carrément pourris. C'est qu'ils nous ramènent à l'enfance, à l'innocence, un peu comme Paulin, aveugle de naissance, qui imagine le monde sous les jolies couleurs qu'il réinvente.

Philippine a refermé tout doucement la porte, elle a ouvert la fenêtre malgré la pluie-odeurs-de-la-Toussaint, s'est allumé une cigarette sans filtre, a vidé ma soucoupe à colifichets pour s'en servir de cendrier, et m'a rejointe sous la couette.

— Maman pleure !

Je l'ai regardée sans rien dire pour l'encourager à continuer.

— En plus, c'est pas la première fois. Mais tu la connais, quand les autres sont là, elle met double couche de peinture et personne ne voit rien.

Sous le ton léger, je voyais bien qu'elle se faisait du souci. Du souci pour sa mère ? Une première. Je n'ai toujours rien dit.

— J'ai peur que ce soit un cancer du sein.

Là, je me suis écriée :

— Un cancer du sein ? Pourquoi ?

— C'est là que ça attaque en premier les femmes qui se rongent, surtout celles qui, en plus, sont bouclées à l'intérieur, et tu connais maman, avec son passé : un reliquaire sur pattes.

« Reliquaire sur pattes », j'ai trouvé ça bizarre, comme la « tour de Pise », mais pour être un bon journaliste, ce que vise Philippine, il faut avoir des idées saugrenues qu'on accroche à la réalité afin d'attirer l'œil du lecteur.

Elle a avalé une bouffée de cigarette, bien profonde, bien dévastatrice, laissé la fumée envahir ses poumons, comme un pied de nez aux horreurs dessinées sur le paquet, et elle a demandé, l'air de s'en fiche complètement :

— Tu ferais quoi, toi ?

Je n'ai pas hésité une seconde.

— Agnès ! Elle ferait parler une tombe.

La « tombe » lui a rendu sa bonne humeur et moi, malgré la pluie-odeurs-de-la-Toussaint, le cancer du sein de tante Béatrix, les horreurs sur le paquet de cigarettes, je me suis sentie bien : même bateau dans la tempête !

Philippine a sauté du lit : « Bien sûr, tu as raison, j'y vais, à plus ! », et elle a disparu.

Je suis restée un moment, le regard sur ma soucoupe à colifichets renversée en me disant que l'amitié, c'est aussi d'accepter, même si on ne le supporte pas, de la cendre de cigarette sur son oreiller.

9

Fine

Et puis, trois jours plus tard, samedi, cinq heures de l'après-midi, Philippine m'appelle sur mon mobile : « Rendez-vous à la grille, pas un mot, à personne. »

Je la retrouve à côté d'Agnès dans sa décapotable capotée – il pleut toujours ! Je m'engouffre à l'arrière, Agnès démarre aussitôt, je ne tiens pas :

— Alors ?

— Alors, encore un peu de patience, mesdemoiselles !

« Mesdemoiselles… » Agnès n'a encore rien dit à Philippine, tant mieux.

Je serai là pour amortir le choc.

On n'ouvre plus la bouche jusqu'à Cognac où elle arrête sa voiture devant un hôtel quatre étoiles. Elle tend royalement ses clés au portier, nous précède dans le hall, marbre, glaces et dorures, jusqu'à un bar chicissime, lumières tamisées, velours, pianiste, Mozart.

Un garçon se précipite. « Votre table habituelle, madame Faugère ? » Son nom de jeune fille. Tandis qu'on suit le garçon, elle explique : « C'est ici que je reçois mes clients. »

Un certain nombre de tables sont occupées, des hommes pour la plupart, qui discutent front contre front, autour de hauts verres embués, en se sentant importants. Le garçon nous guide vers un coin tranquille où nous nous installons dans des fauteuils capitonnés.

— Que diriez-vous d'un kir royal à la mûre, la spécialité de la maison, propose Agnès avec un clin d'œil.

Un kir royal à cinq heures vingt de l'après-midi ? C'est tout Agnès : une vraie douce et une fausse sage ! Pas le temps de reprendre souffle que des coupelles – noisettes, amandes, olives et mini-sandwichs au concombre – atterrissent sur notre table.

— Dis donc, tu traites bien tes clients ! apprécie Philippine.

Agnès sourit. Mais tandis que le garçon verse le champagne sur le sirop de mûre, l'inquiétude nous revient : l'une de ses théories, qui fait rire toute la famille, et applaudir grand-père, est que le champagne devrait être automatiquement servi à ceux qui traversent des moments difficiles, notamment… lorsqu'ils entrent à l'hôpital.

Champagne, hôpital, cancer du sein, ça sent mauvais ! On trinque quand même.

Et Agnès se décide enfin, tournée vers Philippine :

— Ta mère se reproche d'avoir fait un faux témoignage en accusant Nils. Elle doute que ce soit lui qui ait commis le crime.

C'est tellement énorme, inattendu, fabuleux – Nils innocenté par tante Béatrix ! – qu'on en perd la parole. Sans nous laisser le temps de la retrouver, Agnès douche notre enthousiasme.

— Elle craint que ce ne soit Alexander le coupable.

Alexander ?

— Mais c'est impossible, il dormait quand ça s'est passé ! s'étrangle Philippine.

D'une voix calme, comme on parle à des malades (champagne-hôpital ?), Agnès nous raconte que tante Béatrix n'en est plus si certaine que ça. La semaine dernière, Nils est venu chez elle et il lui a proposé de disposer d'une chambre dans sa dépendance – première nouvelle ! Ils ont parlé de Monique qui n'en serait sûrement pas enchantée et ça a réveillé d'anciens souvenirs chez Béatrix. Par exemple, Monique qui semblait avoir une peur panique du retour de Nils et avait voulu lui faire jurer de ne pas lui parler. Mais le plus grave…

Là, Agnès regarde autour d'elle comme si elle craignait d'être entendue. On retient notre souffle.

— Le plus grave est qu'elle s'est souvenue d'avoir vu Monique rentrer chez elle par la porte de l'arrière-cuisine, à peu près à l'heure où, selon l'autopsie, le crime a été commis.

L'arrière-cuisine qui donne sur le petit bois…

— Mais pourquoi elle l'a pas dit ? crie presque Philippine.

— À l'époque, elle n'y avait pas attaché d'importance et elle était bouleversée par ce qu'elle avait vu dans la cabane : Nils frappant la petite, le sang sur ses mains… Aujourd'hui, l'idée de l'avoir accusé peut-être à tort l'empoisonne. Cela l'a soulagée de se confier à moi.

Elle se tourne vers Philippine :

— Tu connais ta mère, c'est une femme incapable de vivre en désaccord avec sa conscience.

Et là, le prodigieux suit l'incroyable, Philippine se lève, bras dressés.

— Chapeau, maman !

*

Toutes les têtes se sont tournées vers elle. Il devait être rare qu'un tel hommage soit rendu dans cet endroit chicissime, certes, mais d'un abominable sérieux.

Agnès, dont les yeux riaient, a demandé à Philippine de bien vouloir se rasseoir. Pour nous réconforter, nous avons vidé coupes et coupelles en écoutant le pianiste en smoking jouer du Mozart.

— Et maintenant ? ai-je demandé.

— Il faut tout dire, tout de suite, à grand-père ! s'est enflammée Philippine. Il DOIT savoir.

— Pas question, a tranché Agnès. Même s'il sera soulagé pour Nils, pense au mal que cela lui fera, ainsi qu'à ta grand-mère, d'apprendre que le coupable est son petit-fils handicapé, avec la complicité de Monique, sa fille. Et n'oubliez pas qu'il s'agit de « doutes », en aucun cas de certitude. Cette certitude, attendons de l'avoir.

— Mais on ne peut pas rester sans rien faire, quand même, ai-je protesté. Il faut au moins en parler à Nils, c'est lui le premier concerné !

Mon Dieu, sa joie lorsqu'il saurait son innocence reconnue par tante Béatrix… Et, comme nous, sa peine si c'était Alexander qui avait fait le coup.

— D'accord, Fine, a acquiescé Agnès, mais pas sans avoir l'autorisation de Béatrix et à condition que vous n'en parliez à personne d'autre.

Facile de deviner que « personne d'autre », c'était maman, à qui je ne cache rien… ou presque.

— Tu lui en parleras avec nous ? a demandé Philippine.

— Je préfère vous laisser entre cousins. Mais je tiens à avoir un rapport détaillé.

Elle a désigné nos coupes vides :

— À la guerre comme à la guerre, un autre kir ?

On a accepté. Elle s'est contentée de reprendre des sandwichs au concombre : elle tiendrait le volant pour rentrer ! Agnès, fausse douce, vraie sage ?

Mozart, c'est souvent joyeux et entraînant, mais cela peut être aussi déchirant, voir le *Requiem*. Plus tard, repassant la grille du château, fenêtres éclairées partout, même chez tante Monique, je ne savais plus bien si c'était de joie ou de deuil que ma tête tournait.

10

Fine

Nils savait !

Depuis presque trois ans, il savait qu'Alexander avait tué Maria en l'étouffant sous un coussin après lui avoir arraché sa boucle d'oreille, probablement parce qu'elle refusait de lui rendre son ours bien-aimé. C'était même Philippine qui l'avait mis sur la piste en lui racontant, dans une lettre, les yeux différents de Baloo.

Gabrielle Darcet aussi savait !

Nils lui avait fait part de ses soupçons et elle s'était livrée à une enquête discrète auprès de tante Béatrix et de tante Monique, afin de vérifier à la loupe l'emploi du temps de chacune durant la matinée fatale. De nombreux détails, s'ajoutant à l'attitude tantôt terrifiée, tantôt menaçante de tante Monique, l'avaient conduite aux mêmes conclusions que lui. Pour son avocate, il n'était plus question de vagues soupçons mais de certitude : Alexander était le coupable, sa mère l'avait couvert en accusant un innocent.

Philippine et moi ignorions que Nils savait…

Et ce vendredi-là, allant le chercher à son travail après avoir obtenu enfin le feu vert de tante Béatrix

– plus d'une semaine, quand même ! –, nous n'en menions pas large en imaginant sa réaction lorsqu'il apprendrait la vérité : de toute façon, il faudrait y aller doucement.

Pour être certaines de ne pas le louper, on est arrivées un bon quart d'heure à l'avance, sur la moto de Philippine. Quand il est sorti avec les autres et qu'il nous a découvertes, il a eu l'air si heureux que je n'ai plus su si c'était ou non une bonne nouvelle qu'on allait lui annoncer : il aimait beaucoup Alexander.

Il a demandé avec un grand sourire :

— Un enlèvement ?

— Une petite balade près de la Charente, a répondu Philippine.

— La Charente attendra bien quelques minutes, venez…

Il nous a entraînées dans son atelier pour nous faire admirer la « merveille » à laquelle il travaillait, une commode en mille morceaux qui sentait le vieux et la colle.

— La commode de maman.

— Merveille ou pas, t'aurais plus vite fait d'en acheter une neuve, a rigolé Philippine.

Je me suis tue : la façon dont il avait prononcé « maman », tout le ciel gris d'Amsterdam dans la voix.

Après avoir garé la moto dans la courette où se trouvait le scooter de Nils, près de l'atelier, on a suivi le plan en rejoignant la Charente, les quais, direction le parc François-Ier, loin des oreilles ennemies – pour parler comme Agnès, « à la guerre comme à la guerre ».

— Ça sent le mystère, a plaisanté Nils, ne croyant pas si bien dire.

Je n'aime pas les mystères, ni les secrets, les chuchotis, les embrouilles, c'est dire si je suis servie dans la famille !

Philippine a choisi pour se lancer le moment où une gabare passait, la *Dame-Jeanne* – le ciel avec nous ? –, au pont hérissé de touristes à la place des tonneaux d'eau-de-vie d'autrefois, espérant peut-être que les cris joyeux, les flashes des appareils photo et le froissement de l'eau amortiraient le choc.

— Il paraît que tu es allé voir maman ?

— Ah, elle t'a raconté pour la chambre avec salle de bains ? Ça marche ? a demandé Nils.

— Pour la salle de bains, on ignorait, mais pour toi, c'est plutôt sur la bonne voie. Figure-toi qu'elle a des doutes ; elle se demande si ça ne serait pas Alexander qui aurait fait le coup pour Maria.

C'est là que Nils a répondu, sans même s'arrêter de marcher.

— C'est bien lui, je le sais. Avec la complicité de Monique.

On avait tout prévu : l'incrédulité, la stupeur, la joie, la colère peut-être, un peu d'angoisse forcément, tout sauf cette réponse glacée.

*

Maintenant, on était assis sur un banc dans le parc François-Ier, Nils au milieu, et il nous avait dévidé tout le scénario : tante Monique trouve Alexander dans la cabane avec Maria morte étouffée, il y a du sang sur ses mains et sur ses vêtements, Alexander-âge difficile, elle pense qu'il l'a violée avant de la tuer. Soleil de plomb, personne alentour, elle le ramène à la maison avec son ours éborgné, le passe à la douche, le bourre de calmants, appelle tante Béatrix sous prétexte de lui emprunter son mixeur afin qu'elle puisse témoigner qu'il dormait au moment du crime. Un peu plus tard, elle voit Nils se rendre à la cabane, elle n'hésite pas une seconde, elle doit sauver son fils, le coupable, ce sera lui ! Lorsqu'elle entend les appels de Mme Alvarez cherchant Maria, elle se propose de l'aider, entraîne Béatrix droit sur le lieu du crime.

La suite, on la connaissait par cœur.

— C'est très certainement Monique qui a mis le feu à la cabane, la nuit suivant le drame, pour empêcher la police scientifique de trouver des preuves du passage d'Alexander.

— Mais puisque vous saviez, Gabrielle et toi, puisque vous étiez sûrs que c'était elle, pourquoi vous n'avez rien dit ? s'est étouffée Philippine.

Nils a eu un sourire triste.

— Pour que je puisse être ici, avec vous, aujourd'hui, libre ! Si nous avions révélé notre découverte au juge d'instruction, l'enquête repartait de zéro, le procès était considérablement retardé, et si Monique persistait dans ses déclarations, sans compter Mme Alvarez, sans véritable preuve, seulement des soupçons, je n'étais pas sûr d'être acquitté et, à l'heure qu'il est, je serais sans doute encore en prison à Angoulême.

— Eh bien, cette preuve, on l'a maintenant ! a triomphé Philippine. Maman a vu tante Monique dehors à l'heure du crime.

L'œil de Nils s'est allumé.

— Où ça ? Près de la cabane ?

— Faut quand même pas rêver. Elle l'a vue rentrer chez elle par la porte de l'arrière-cuisine alors qu'elle avait juré ne pas être sortie. Maman a pensé qu'elle était juste allée jeter un truc à la poubelle, c'est pour ça qu'elle n'a rien dit.

— Et c'est ce que soutiendra Monique si on l'interroge de nouveau, a remarqué Nils sans cacher sa déception. Il va falloir trouver du plus costaud.

J'ai pensé que le « truc » que Monique avait jeté était peut-être les vêtements tachés de sang d'Alexander, mais là non plus fallait pas rêver : elle avait eu plus de trois ans pour s'en débarrasser.

Une famille est passée dans l'allée. Le père portait sur ses épaules un petit garçon coiffé d'un chapeau de cow-boy, la mère tenait par la main une petite fille qui marchait comme une princesse dans son manteau neuf évasé, tirant un cartable en plastique orné d'un Pluto. Ça m'a rendue triste. J'ai eu l'impression d'avoir perdu quelque chose d'important que je ne retrouverais jamais.

Nils a posé sa main sur la mienne.

— Tu es bien silencieuse, ma Fine ! Que penses-tu de tout ça ?

« Ma Fine », le rêve encore… Même si c'était moins souvent, il le disait aussi parfois à Philippine.

— Je pense à grand-père…

Un cri lui a échappé :

— Il n'est pas au courant j'espère !

Je me suis souvenue du dîner catastrophe, quand Nils avait eu si peur que grand-père soit malade, et je l'ai vite rassuré ; mais non, bien sûr, il ne savait rien.

— Pour l'instant, je vous demande de garder le secret, a ordonné Nils. Transmettez la consigne à Agnès.

— Attends, tu ne vas pas nous dire que tu as l'intention de laisser tomber à cause de grand-père, a protesté Philippine. Tu sais bien que lui-même ne le voudrait pas !

— Qui t'a parlé de laisser tomber, a répondu Nils, et sa voix est sortie de sa poitrine comme d'un cœur arraché. Depuis cet après-midi de juin où Monique a crié : « C'est lui ! » en me désignant et où tous m'ont regardé autrement, je ne me suis pas endormi une seule nuit sans viser le moment où mon innocence serait reconnue. Depuis que j'ai découvert qui étaient les coupables, je ne me suis pas réveillé un seul matin sans me jurer de trouver la preuve qui les confondrait, une preuve en béton. C'est seulement quand je l'aurai que je parlerai à grand-père, j'ai trop souffert du doute pour le lui infliger.

— Et cette preuve en béton, où t'espères la trouver ? a essayé de plaisanter Philippine.

— Auprès de Monique. Je vais lui faire comprendre que ses pires craintes sont justifiées, lui faire savoir que je sais tout, l'amener à se trahir. Je mettrai le temps qu'il faudra, mais elle finira par passer aux aveux.

— Oups ! Il va y avoir du sport ! ai-je remarqué.

Et là, ils ont ouvert des yeux énormes, comme si j'étais la nulle, juste bonne à verser des larmes, incapable d'humour. Et c'est moi qui ai eu le dernier mot : le premier rire.

*

La nuit tombait quand on s'est décidés à rentrer. Plus de gabare sur la Charente, Philippine silencieuse pour une fois. Elle pouvait bien se vanter d'avoir tout vu, tout entendu, affirmer que plus rien ne pourrait l'étonner, elle avait dû en apprendre plus sur la vie cet après-midi, en quelques heures, qu'en une année à son école de journalisme. Ne parlons pas de moi dans ma maternelle, même « grande section » ! Et cela rendait nos pas plus lourds.

Désertes, les rues de Cognac, tous devant l'écran bleu de la télé. Un jour, l'innocence de Nils y serait-elle annoncée ? Parasols rentrés chez Salvador, où en serions-nous au printemps prochain lorsque nous dégusterions des sorbets à leur ombre ? En attendant, à propos de printemps, on passait à l'heure d'hiver dans la nuit de demain.

Arrivés à la courette où étaient garés nos engins, Philippine m'a regardée et elle a compris parce qu'elle m'a tendu mon casque.

« Je laisse les petites vitesses rentrer ensemble, à plus ! »

Et elle a filé : pas de place pour la jalousie dans l'amitié.

Ça ne devait pas non plus lui déplaire de faire la première son rapport à Agnès, peut-être aussi à sa mère. Entre elles, seize années de dialogue à rattraper si l'on retirait celles de l'apprentissage de la parole. Et pour exprimer leurs sentiments respectifs, à « petite vitesse » également.

La nuit était douce, étoilée, j'entourais la taille de Nils de mes bras, il roulait très lentement entre les rangées de vigne endormies, d'ailleurs, on appelle cette saison la « dormance », avant le grand chambardement du printemps. J'ai appuyé la tête contre son épaule, à gauche, et, malgré le casque, j'ai entendu son cœur battre à l'envers et j'aurais voulu ne jamais arriver.

Il m'a déposée devant la porte de la maison. C'était

allumé partout, sauf dans ma chambre. Il m'a tendu son poignet.

« Tu n'oublierais pas quelque chose par hasard ? »

Même si c'était une nuit d'avance, j'ai détaché sa montre et reculé les aiguilles d'une heure. Quand je les avais avancées, en mars dernier, je m'étais dit : la prochaine fois, il sera là.

Il était là, le reste n'avait pas d'importance.

11

Nils

Résister…

À ces troubles remous intérieurs, se transformant peu à peu en vague de fond, cette douce et frémissante lumière devenant embrasement, cette force jusque-là inconnue de lui, qui, insensiblement, inexorablement, avait pris possession de son être depuis son arrivée au château, une soirée de printemps. À cet amour dont il s'était défendu en le nommant « affection », « tendresse », pourquoi pas « sympathie » ?

Résister à un regard limpide, un sourire tendre et généreux, qui semblaient monter de l'âme même de Fine. À un parfum d'œillet derrière une oreille ourlée de boucles châtaines, un baiser trop proche des lèvres et à deux doigts fins qui, tournant les aiguilles lumineuses de sa montre, réglant le changement de saison en avançant ou retardant le temps, s'étaient emparés de sa vie.

Surtout ne rien montrer, se taire, ne pas encourager un sentiment interdit.

Résister…

À l'amour fait de respect, d'admiration, de gratitude,

que Nils portait à son grand-père qui, par deux fois, l'avait sauvé de l'abandon et du désespoir. Amour trop grand qui pourrait bien – oui, Philippine – anesthésier sa volonté, retarder sa décision de confondre la criminelle qui lui avait volé, en toute connaissance de cause, trois années de sa vie, les précieuses, les flamboyantes, les années irremplaçables de tous les rêves, les désirs, les élans.

S'empêcher de céder à la tentation de l'amour et du pardon.

En attaquant !

*

Gabrielle Darcet n'a pas semblé étonnée lorsque Nils l'a appelée. Comme si elle attendait que ce soit lui qui lance les opérations.

Il lui a proposé de la rencontrer un soir après l'atelier ; il pourrait être à Angoulême sans problème vers dix-huit heures.

— Ne préfères-tu pas que je vienne à Cognac ?

— Si on peut éviter d'être vus ensemble…

— Alors passe me prendre chez moi, je sais où je t'emmènerai.

Passer chez elle, sans nul doute une faveur qu'elle lui accordait : il l'avait appelée en client, elle lui répondait en amie.

Elle habitait un vaste studio au cœur de la ville, au troisième étage d'un bâtiment à colombages, avec vue sur le moutonnement des toits, la flèche de l'église Saint-Martial, entre deux rues aux noms d'auteurs de BD. Aux murs, des livres, des tableaux, quelques photos dont celle d'une fillette, elle certainement, l'air volontaire, juchée sur un rocher, armée d'un filet de pêche, et cela avait fait sourire Nils, prémices d'une vocation ? Pêche aux indices et autres preuves pouvant servir ceux qu'elle défendait ?

Canapé-lit, joyeux désordre, vêtements exclusivement féminins : territoire de célibataire. Gabrielle Darcet avait-elle quelqu'un dans sa vie ? Ce quelqu'un, cette quelqu'une, sans lesquels malgré la famille, les meilleurs amis du monde et toutes les réussites, assorties d'un compte en banque bien garni, on a toujours un peu faim, un peu soif, un peu froid.

Durant un bref instant, Nils avait été tenté de lui confier qu'il avait « quelqu'une »… sans être en droit de se déclarer.

*

Le bistro où elle l'a emmené, tout près de chez elle, s'appelait Le Diamant noir, le nom que l'on donne à la truffe, spécialité de la maison. Plafond à poutres, large cheminée où sommeillait un feu, tables espacées, lampes à abat-jour rouge, lieu à confidences ! Le garçon a guidé « maître Darcet », jusqu'à « sa » table : une habituée.

On pouvait déguster la truffe de nombreuses façons et avec chacune un vin approprié était proposé. À Nils, qui n'avait jamais goûté au fameux champignon, Gabrielle a conseillé de le découvrir en omelette, la meilleure manière d'en apprécier toute la saveur. Elle a demandé que le vin leur soit servi sans attendre de façon à… se mettre en bouche.

Le garçon reparti avec la commande, elle a souri à Nils.

— Alors ?

Ce mot qui, prononcé avec un véritable intérêt, peut ouvrir les portes les mieux gardées.

Il lui a raconté le revirement de Béatrix après qu'il lui avait proposé de disposer d'une chambre chez lui, comme si cette offre avait réveillé son cœur. Les soudaines interrogations de sa tante sur le comportement de Monique, l'évidente terreur de celle-ci en apprenant le retour de Nils au château, l'interdiction qu'elle lui avait faite de le rencontrer, le serment qu'elle avait cherché à lui extorquer de ne plus lui adresser la parole, et aussi le soudain souvenir qui était revenu à Béatrix : Monique rentrant chez elle en fin de matinée, par la porte de l'arrière-cuisine, alors qu'elle n'avait cessé d'affirmer n'avoir pas mis « le nez dehors ».

Gabrielle en a semblé toute réjouie.

— Ne te l'avais-je pas dit ? Béatrix, une femme sincère, incapable de tricher avec elle-même. En voici la preuve !

— Par bonheur, elle s'est confiée à Agnès, qui a jugé bon de me mettre au courant, par l'intermédiaire de mes cousines, a poursuivi Nils. Elles ne savent pas que je suis là.

— Et pourquoi donc ? a demandé Gabrielle avec malice.

Il s'est senti rougir.

— Vous savez bien ! Philippine aurait exigé d'être présente.

Pas la discrète Fine. De nouveau, cette tentation de se livrer…

Le garçon revenait, portant une carafe en cristal contenant un vin à robe d'or profond.

— Château Lafite Rothschild 90, a-t-il annoncé solennellement.

Après que Gabrielle eut goûté et acquiescé d'un mouvement de tête, il leur a versé à chacun un demi-verre, que Nils a d'abord approché de son nez pour s'imprégner de son parfum avant de s'en accorder une petite gorgée qu'il a laissée rouler sur son palais.

— Le digne petit-fils d'Edmond ! a applaudi Gabrielle en riant.

La première fois que le nom de celui qui était présent dans chaque parole qu'ils venaient d'échanger était prononcé.

Le visage de l'avocate est redevenu sérieux.

— Et maintenant, qu'as-tu l'intention de faire ?

— Je ne sais pas encore, je cherche, a répondu sombrement Nils.

Il a avoué – avoué ? – que son plan initial, amener Monique à se trahir par sa seule présence au château, était à l'eau. Rentré depuis plus d'un mois, elle ne lui avait pas laissé la moindre chance de l'approcher, elle n'assistait à aucune réunion de famille, elle se terrait.

Gabrielle a bu une autre gorgée de vin. Nils s'est abstenu : garder l'esprit clair. Autour d'eux, les tables s'étaient peu à peu remplies sans que l'atmosphère en souffre, plaisir discret, presque religieux, conversations feutrées : la classe, le luxe.

Le moment était venu de poser la question pour laquelle il était venu.

Il s'est penché vers son avocate.

— Admettons que je trouve le moyen de faire parler Monique et que je trouve la preuve irréfutable, indiscutable, de la culpabilité d'Alexander et de la complicité de sa mère, que leur arrivera-t-il à l'un et à l'autre ?

Gabrielle Darcet a pris un court moment de réflexion ; Edmond était entre eux lorsqu'elle a répondu.

— Le juge d'instruction décidera. En attendant le nouveau procès, Alexander sera très probablement placé dans un établissement psychiatrique où psys et experts divers l'interrogeront afin d'établir son degré de responsabilité au moment des faits. Monique a une chance de pouvoir demeurer au château sous certaines conditions.

— Une chance..., a répété Nils avec révolte.

— À l'issue du procès, au cours duquel tu seras cette fois convoqué comme témoin à charge, ton cousin sera placé dans un hôpital spécialisé où il sera soumis à un traitement médicamenteux relativement lourd, mais il ne sera pas maltraité et pourra recevoir des visites. Quant à ta tante...

Gabrielle s'est interrompue, son regard est allé au fond de celui de Nils – au fond de sa conscience ?

— « La mère prête à tout pour protéger son fils handicapé... » Elle pourrait bénéficier de l'indulgence du jury. Là, ton témoignage, plus ou moins accablant, sera sans doute déterminant, toi, Nils, sa victime.

L'omelette était délectable, le parfum de la truffe en parfaite harmonie avec celui du vin : un parfum de violette, un fumet de forêt – rudesse, douceur, la mystérieuse alchimie des fruits de la terre, la vie.

À présent, Gabrielle parlait à Nils de son travail chez Nicolas Santini, de ses cousines. Si différentes, si attachantes, de sa « maison » bien à lui. S'y plaisait-il ?

Il s'entendait répondre « oui », oui à tout, et c'était la réalité. Sa vie était faite aussi de bons moments, parfois même de fugitifs bonheurs. La tête lui tournait, le vin ? ce lieu, cette oasis, cette île… Alors qu'il était venu chercher auprès de son avocate la force d'avancer, de résister à la tentation de l'amour qui paralyse, il ne savait plus ce qu'il souhaitait : « Ton témoignage, plus ou moins accablant, sera sans doute déterminant. » Le sort de Monique, fille d'Edmond, un jour entre ses mains ?

Toque sur la tête, le patron est venu apporter lui-même le dessert : tartelette tiède aux myrtilles, pâte brisée. Lorsque Gabrielle lui a présenté Nils, « Nils de Saint Junien », il n'a pas tiqué. Elle a parlé d'un jeune ami, pas d'un client.

— Tu t'assois un moment avec nous, René ?

René n'attendait que ça !

Il avait de gros soucis avec sa truffière. Depuis quelque temps, des vauriens, venus d'on ne sait où, s'y introduisaient la nuit pour lui chaparder son diamant noir. Jamais encore telle honte ne s'était vue dans la région ! Avec ses voisins, ils avaient été obligés d'organiser des rondes pour se protéger.

Il a montré sa salle, son travail, son bonheur, son honneur.

— S'il arrive un malheur, on compte sur toi pour nous défendre, madame l'avocate !

— Vous pouvez, a répondu Gabrielle, mais, dans vos rondes, oubliez fusils et autre petit plomb.

Le patron a tenu à offrir le vin, Nils a payé l'addition, il gagnait sa vie à présent ! Gabrielle a eu le tact d'accepter… à titre de revanche.

Dehors, un vent glacé s'était levé, il a frissonné : le contraste avec la chaleur du feu, le retour à la réalité ? Gabrielle a désigné son scooter.

— Si tu préfères attendre demain, j'ai un lit de camp à la maison.

Merci, non ! Il a promis qu'il survivrait : survivre, n'était-ce pas son lot depuis l'enfance ?

Avant de démarrer, il a demandé :

— Si je trouve la preuve, m'accompagnerez-vous ?

L'avocate a posé la main sur son épaule.

— En doutes-tu un seul instant, Nils ? Demain, la semaine prochaine, dans un mois, dans un an, je serai là. Prends ton temps.

12

Nils

La vigne est nue. Le pourpre de la feuille a laissé place aux nœuds de bois bruni dont les racines ont été entourées d'un chausson de terre pour les protéger du gel. Bientôt débutera la taille, jamais ne s'arrêtent les apôtres du vin.

Voilà longtemps que son grand-père n'avait emmené Nils dans le saint des saints où officie M. Fénec, le maître de chai, qui lui a serré vigoureusement la main : un autre « pour » ? D'alambics en ronds fûts de chêne, le mystérieux travail de vinification se poursuit. Qui a l'oreille entend la cuve chanter.

La commode de Roselyne est nue. Nils a enlevé la marqueterie, il nettoie à présent l'âme du bois en retirant les anciennes colles et en réparant les « accidents du bâti » – il préfère parler de blessures. Âme du bois, chant de la cuve, mystère de la musique que réveille l'archet effleurant les cordes du violon, cordes sensibles… La beauté est une.

Edmond et Delphine lui ont fait la surprise de passer le voir travailler, Delphine émue, Edmond fier.

« Votre garçon est vraiment doué », a observé Santini.

Edmond heureux.

Les arbres du petit bois sont nus. C'est le week-end de la Toussaint. Après la messe, à laquelle Nils n'a pas assisté – s'il devait s'adresser à quelqu'un, là-haut, ce serait à Marie, de la chapelle des vœux, où jamais ne figurera une plaque portant son nom lié à celui de sa mère, et il lui dirait qu'elle n'a pas fait correctement son boulot –, un déjeuner a rassemblé la famille au château autour d'un gigot d'agneau « à la Jeanne », chacun trouvant la cuisson de son choix, la souris mise aux enchères de l'affection, et devinez qui l'a emportée ?

Nils a profité de l'heure du café pour glisser un discret merci à Béatrix qui a regardé autour d'elle, affolée. Mais non, Béatrix, personne n'a rien entendu : le secret reste bien gardé.

Agnès, elle, ne s'est pas embarrassée pour l'entraîner à l'écart et le remercier de lui offrir la chambre avec salle de bain qu'elle souhaite visiter et aménager le plus rapidement possible, mais elle comprend les scrupules de « maman Béa » à accepter un tel cadeau de celui qu'elle craint aujourd'hui d'avoir accusé à tort. Patience et longueur de temps…

Bien sûr, Monique ne s'est pas montrée. Nul ne cherche plus à lui trouver d'excuse, tous connaissent la raison de son absence.

Patience et longueur de temps ? Presque deux semaines se sont écoulées depuis que Nils a rencontré Gabrielle à Angoulême. À l'atelier, la commode avance, au château, amour et tendresse l'entourent, attention ! Le « Prends ton temps » de son avocate pourrait devenir prétexte à lâcheté. Nils se souvient de l'engagement pris avec lui-même, qui lui a permis de tenir durant ses longues années de détention : un jour, faire éclater la vérité. Et la colère, due à l'impuissance, une « sainte colère », comme celle d'Edmond apprenant la trahison de Monique – l'interview accordée à un journaliste étalant son enfance calamiteuse dans un grand journal de la région ? –, bout enfin dans ses veines.

Monique le fuit ? Il s'imposera à elle.

*

Chaque jour sans exception, elle passe l'après-midi auprès de son fils aux Mésanges. De Cognac à Saintes, ville proche de laquelle se trouve l'établissement, vingt-trois kilomètres à parcourir, cinq de plus pour atteindre celui-ci, au total trois quarts d'heure de route dans l'antique et brinquebalante voiture que Monique se refuse à changer malgré les offres généreuses et réitérées d'Edmond. « Changer », mot dangereux : ouvrir la porte à l'inconnu ?

Lorsqu'elle quitte le château après avoir déjeuné, Nils est à l'atelier.

Elle n'est de retour qu'aux environs de dix-neuf heures, profitant du trajet pour faire ses courses. Après s'être garée, elle court presque jusque chez elle et s'enferme à double tour… jusqu'au lendemain.

Nils a envisagé d'attendre son retour sur le « tarmac », de s'imposer dans sa voiture, de lui signifier qu'il sait qu'Alexander a étouffé Maria, que Monique l'a couvert en le dénonçant, qu'un jour ou l'autre il trouvera le moyen de les confondre, que ce double crime ne restera pas impuni.

Mais lui laissera-t-elle le temps de parler ? Il l'imagine appuyant désespérément sur le klaxon, alertant le « colonel ». Entre Mme de Saint Junien et lui, le gardien n'hésitera pas.

Il a décidé de lui parler chez elle, en tête à tête, les yeux dans les yeux.

Porte fermée.

*

Il est dix-huit heures quarante-cinq, ce lundi-là, nuit tombée. Il a garé son scooter dans la cour de son arrière-cuisine pour que Monique le croie sorti lorsqu'elle rentrera, sa surprise n'en sera que plus forte, plus rude.

Dissimulé derrière la haie qui borde la maison aux volets fermés, il attend, répétant les paroles qu'il lancera, affermissant sa résolution. Il peut entendre, derrière la porte voisine, le bruit de la famille de Fine. C'est allumé dans la chambre de celle-ci, ô ma Fine, que dirais-tu si tu me voyais là ? En revanche, au château, le lustre du grand salon brille de toutes ses pampilles : heure de lecture pour ses grands-parents en attendant les infos. Que penseraient-ils s'ils le surprenaient jouant les espions ?

Pour un peu, il se sentirait ridicule.

Le bruit de la voiture de Monique passant la grille le ramène à la réalité. Une portière claquée et la voici déjà, se hâtant vers lui, vers sa faute, son châtiment ? Au moment où elle ouvre sa porte, Nils bondit, la bouscule, s'introduit dans le salon obscur, s'y avance suffisamment pour n'avoir pas à en venir aux mains si elle tentait de le mettre dehors, attend les cris, les invectives, les appels à l'aide ?

Rien !

Sinon le claquement sec de la porte refermée. Sans doute est-elle allée se réfugier chez la compatissante Hermine.

La lumière jaillit.

— Que voulez-vous ?

Un bloc de pierre grise lui fait face. Gris le manteau, les bas, le visage entouré de bandeaux de cheveux, bleu-gris le regard qu'il croise enfin, voix glacée.

Et c'est lui que la surprise paralyse durant quelques secondes, avant qu'il se reprenne.

Il désigne le canapé où, le jour du drame, assommé par les calmants, Alexander dormait devant la télévision allumée.

— Comment va mon cousin ?

La réponse fuse :

— Aussi bien que possible.

— Et sa mère ?

Il a mis dans sa voix le mélange d'ironie, d'accusation et de menace destinées à lui faire comprendre qu'il est au courant de tout, chaque détail, chaque tricherie, chaque mensonge.

Monique ne cille pas.

— D'après vous ?

Face à ce visage, ce regard, ces lèvres scellées par une volonté farouche, Nils comprend que tout ce qu'il pourra dire, Monique le sait. Faire ? Elle l'a prévu. Elle savait que ce moment viendrait, elle s'y est préparée. Casquée, cuirassée, elle l'attendait, prête à mourir plutôt que de reconnaître la culpabilité de son fils. Il l'a mésestimée, il a mésestimé l'amour maternel et, durant quelques secondes, quelque part, malgré lui, il s'incline.

Elle lui tourne le dos, rouvre grand la porte.

— Que je ne vous revoie plus ici !

Et Nils qui n'a jamais frappé personne, l'enfant timide, le jeune homme doux, trop doux, l'homme révolté qui a musclé son corps tout en se promettant de n'agir que par le pouvoir de la vérité et sa confiance en la justice, est soudain tenté par la violence. Ah, prendre cette femme par les épaules et la secouer, son cou entre ses mains et serrer, jusqu'à l'aveu.

« Oubliez fusils et autre petit plomb », a recommandé Gabrielle au propriétaire de la truffière, injustement pillé.

Il desserre les poings, laisse retomber ses bras. Cette violence qui, un instant, l'a étourdi, il la met dans son regard tandis que, franchissant la porte, il croise le sien.

— Un jour ! promet-il.

— Jamais, jure-t-elle.

13

Fine

Les enfants réclament souvent, leurs yeux dans vos yeux, la « vérité vraie ». Les adultes se moquent : la vérité, c'est la vérité, non ?

Non !

Regardez Paulin, le petit garçon dont je m'occupe à la maternelle. Même si tout le monde sait qu'il est aveugle de naissance, que c'est en flairant, tâtant, tendant l'oreille, qu'il remplace ses yeux mort-nés, au son de leurs voix, lointaines, indifférentes, ou, au contraire, pleines d'affection, qu'il reconnaît ceux qui l'entourent et, parmi eux, ses proches ; en caressant un pelage, sursautant à un cri, percevant un chant, qu'il donne leur nom aux animaux, en sentant la brûlure du soleil, le passage du vent, le crépitement de la pluie ou la morsure du froid qu'il distingue une saison d'une autre, en effleurant l'abat-jour tiédi, en entendant claquer les volets qu'il sait que la nuit approche ou se lève le jour… Eh bien, malgré tout cela et tant d'autres exemples qui démontrent qu'il est bel et bien A-VEU-GLE, vous êtes priés de lui préférer « mal-voyant » ou, pire, « déficient visuel ». Un peu comme dans ma famille autrefois où, pour ne pas prononcer le mot trop, trop mal élevé : « péter », on disait : « il a fait un vent » ou « elle a laissé échapper un zéphyr », ce qui faisait hurler de rire Benjamin qui était à l'âge des mots interdits et ne se gênait pas pour les mettre en pratique.

À la rentrée de septembre, beaucoup d'enfants avaient tenu Paulin à l'écart. La maîtresse, Mme Derrek, que d'autres profs appellent l'« inspectrice Derrick » par-derrière, m'avait confié que c'était dû à l'attitude de leurs parents qui craignaient que son handicap – mot autorisé à condition de mettre « en situation de » devant – ne rabaisse le niveau de la classe, qu'on n'en fasse plus pour lui que pour les élèves « normaux » – mot interdit, méprisant, raciste, colonialiste, qui laisse entendre qu'il existe des moins normaux et même (bouchez-vous les oreilles) des « anormaux », comme si on ne savait pas tous que le monde est fait du meilleur et du pire, de loups et d'agneaux, que toutes les couleurs y sont représentées, toutes les façons de nommer ou de prier Dieu et que tous les goûts sont dans la nature, ce qui fait le charme de vivre, et qu'être condamnés à penser tous de la même façon – sinon gare – fait de nous des abrutis.

Quoi qu'il en soit, pour Paulin, la situation évoluait dans le bon sens au fil des semaines. Il avait très vite appris à reconnaître un enfant d'un autre par quantité de détails reliés à son instinct, des « riens » essentiels pour lui.

Il accrochait comme il fallait sa doudoune à la patère, allait droit à sa place sans se tromper, répondait aux questions de Mme Derrek et mangeait à la cantine sans s'en mettre partout comme un goret. Je le guidais le plus discrètement possible, mais sa fierté était de se débrouiller tout seul et, maintenant, certains prétendaient qu'il n'y voyait pas si mal que ça derrière ses lunettes noires et qu'il faisait son intéressant. Ils lui tendaient des pièges débiles pour qu'il se trahisse, et ceux-là avaient affaire à moi.

Bref, après même pas deux mois, devinez qui avait relevé le niveau de la grande section de maternelle ? Paulin ! Sa joie de se retrouver parmi d'autres enfants de son âge, ses efforts pour être « pareil », sa réussite dans l'apprentissage du braille – du chinois pour la classe – avaient rassuré les timides, réveillé les flemmards, dopé les cancres et cloué le bec aux moqueurs. Paulin y arrivait sans yeux, alors eux, avec deux en bon état de marche, lunettes ou non, pourquoi ne seraient-ils pas des champions ? Et en plus, sans qu'ils s'en rendent compte, Paulin leur apprenait le courage, car il ne se plaignait jamais.

C'est ce que j'ai décidé d'écrire dans le rapport de stage que je remettrai en fin d'année à la responsable des services sociaux de la mairie, auprès de laquelle j'ai été pistonnée par grand-père en tant qu'« auxiliaire de vie » – « piston », encore un mot à éviter.

*

De l'amour, on a le droit de dire qu'il est aveugle, et même qu'il rend fou et vous en fait voir de toutes les couleurs.

Il me semble que j'ai tout de suite aimé Nils, ni « bien » ni « beaucoup » ; ni d'affection ou de tendresse : d'amour. D'abord, j'ai refusé de l'admettre, mon cousin germain, pensez ! Même si ce cousin-là, je n'avais appris son existence que lorsqu'il avait débarqué au château, si beau, si blond, tellement perdu.

Bien sûr, Philippine a très vite deviné, mais, pour une fois, elle l'a bouclée, trop dingo ! Et elle devait penser que cela passerait, moi aussi, d'ailleurs ; c'est râpé ! Comme dans la chanson : « Je t'aimais, je t'ai aimé, je t'aimerai », dont j'ai oublié l'interprète mais quelle importance ? Toutes les chansons ont le même refrain, murmuré, hurlé ou sangloté : sans amour, t'es mort.

Et Nils ?

D'abord, il m'a semblé que, peut-être, lui aussi… Ses regards, sa voix, une caresse sur ma main, et surtout, on se comprend si bien, même pas besoin de parler, même pas l'amour aveugle. Mais depuis quelque temps, il s'éloigne, j'ai parfois l'impression qu'il me fuit. A-t-il compris qu'on allait forcément dans le mur ? Essaie-t-il de me retirer mes illusions ? Raté ! Les illusions, on peut savoir que c'est du cinéma et s'en nourrir quand même, comme les chimères sans lesquelles on vit sans images, à petit feu. J'essaie de me donner du courage en pensant à celui de Paulin, mais lui n'a rien à regretter puisqu'il n'a jamais vu, alors que je vois Nils tous les jours et que son image est imprimée sur ma rétine.

J'ai beau m'appliquer à ne rien montrer, j'ai parfois l'impression que maman se doute. Si elle se doute, elle en a forcément parlé à papa et ma terreur est qu'ils me prennent entre six yeux : « Tu peux tout nous dire, nous sommes prêts à tout entendre, tout comprendre. » Si je mens, j'aurai l'air de quoi, moi la grande prêtresse de la « vérité vraie » ?

Finalement, c'est Philippine qui a mis les pieds dans le plat.

— Vierge et martyre, ça te plaît tant que ça ? T'attends quoi pour te déclarer ?

Pour elle, c'est aux filles de donner le signal, les garçons n'ont plus les…

— Tu sais bien que c'est impossible.

— Tu dates, ma vieille ! Père-fille, mère-fils, frère-sœur, je dis pas. Mais pour les cousins, on n'est plus au temps des Borgia et il y a des labos pour évaluer les risques.

— Et la famille, tu y as pensé ?

— Je ne dis pas que ça ne fera pas de vagues, mais on n'en est pas à une près. Et si vous fabriquez un petit dégénéré, vous ne serez pas les premiers. J'offre l'ours.

La vérité vraie est parfois à pleurer de rire.

Mais avant que j'aie eu le temps de faire ma déclaration à Nils, tout s'est emballé.

14

Jeanne

Marceline, la mère de Jeanne, était morte dans sa cuisine en tournant sa béchamel : un tour de trop et son cœur de quatre-vingt-quatre ans s'était arrêté. Si cela n'avait risqué d'offenser Dieu, on aurait pu inscrire sur sa tombe : « Partie heureuse, en communion avec elle-même. »

La cuisine, lieu de chaleur et de rencontres, source inépuisable de souvenirs où ce qui réjouit les palais enchante aussi les cœurs et parfois les libère, était, pour cette femme de paysan, la pierre angulaire de ce qu'on appelle avec tendresse et nostalgie : la maison. Et Marceline avait une marotte : dans les hôpitaux, comme dans les maisons de retraite, plutôt que de planter les patients comme des poireaux devant la télévision, les privant de parole avant l'heure, pourquoi ne créerait-on pas pour eux de vastes cuisines où ceux qui le souhaiteraient seraient invités à venir s'asseoir pour tailler une bavette avec la cuisinière et où ceux qui le pourraient mettraient la main à la pâte ?

Cuisines à longues tables de bois, placards à confitures, étagères à bocaux – micro-ondes et produits surgelés, ces voleurs de temps et de plaisir, bannis. Cuisinière à tablier bleu noué devant, armée de ses instruments à faire du bon, qui changerait les patients de ceux à faire du tourment ou de la peur.

Marceline avait proposé son idée dans de belles lettres sans fautes à plusieurs ministres de la Santé qui n'avaient même pas, ces malpolis, eu la correction de lui répondre.

Depuis qu'elle travaillait au service de Mme de Saint Junien, château ou non, Jeanne avait pu vérifier combien sa mère avait raison en voyant petits et grands tournicoter autour d'elle lorsqu'ils avaient une entaille au cœur ou une ombre sur la conscience, et la plupart du temps les lui confier, mine de rien, en choisissant de préférence le moment délicat où elle préparait son beurre blanc ou la sauce dite « pauvre homme », qui accompagne si bien le gibier, et, apparemment, la conversation.

Confie-t-on ses états d'âme dans un salon ou une salle à manger aux murs occupés par des ancêtres qui vous suivent d'un regard sévère en vous rabâchant les paroles de vos parents ? « Tiens-toi droit, dis s'il te plaît et merci, ne mets pas tes coudes sur la table, essuie ta bouche avant de boire. »

*

Aussi, lorsqu'en ce sombre après-midi de novembre, alors qu'elle épluchait ses légumes pour le potage du soir auquel était attachée madame, Jeanne avait vu entrer M. Nils dans sa cuisine, avait-elle été soulagée.

Depuis le retour de celui qui lui faisait penser au héros de *Sans famille*, la belle histoire d'Hector Malot, Rémi, Rémi et son singe Joli-Cœur, Rémi et son chien Capi, elle voyait bien que quelque chose n'allait pas. Peut-être qu'il était devenu un homme et même un bel homme ! Sans doute qu'il habitait la maison de Mme Roselyne – paix à son âme –, qu'il avait un travail à son goût chez M. Santini et autant d'amour et d'affection qu'on pouvait lui donner au château, sauf Mme Monique et certains culs-serrés, n'empêche, Jeanne entendait de la douleur dans ses rires, lisait du soupir dans ses sourires, bref, un cœur mal en point.

Elle avait fait son innocente.

— Monsieur Nils, quelle bonne surprise ! Un chocolat chaud par cette froidure ?

— Tu pourras même y ajouter une tartine beurrée, à condition d'oublier le « monsieur » et le « vous », avait-il répondu, et Jeanne avait ri.

— Ça, mesdemoiselles Philippine et Fine me le réclament tous les jours depuis qu'elles ont soufflé leurs dix-huit bougies. Mais vous connaissez la règle : à la majorité, fini la familiarité, et si M. Alexander était là, tout gamin qu'il est resté dans sa tête, lui aussi il y aurait droit.

Sur ce, elle avait mis le lait à chauffer et les tartines à griller. Et quand elle s'était retournée, il y avait deux bols sur la table, le beurrier et la poudre de cacao. Elle avait versé le lait mousseux – plein bol pour « Rémi », trois gorgées pour elle – et avait repris son épluchage : on se confie mieux à celle qui a les yeux occupés ailleurs.

Elle n'avait pas eu longtemps à attendre.

— Tu te souviens, Jeanne, de la dernière fois qu'on était assis là tous les deux ?

— Si je me souviens ! L'une des pires journées de ma vie.

Nouveau silence, raclement de gorge, de conscience ?

— Mon avocate, tu sais, maître Darcet, il paraît qu'elle est venue te voir ?

— Tout « maître » qu'elle est, je lui ai même servi un café à la place où vous vous trouvez. Elle voulait savoir si je n'avais pas vu quelqu'un se balader dans le petit bois, quelqu'un qui aurait pu faire le coup pour la petite.

— Et ?

— À part vous, monsieur Nils, personne.

— Même pas Monique et Alexander ?

— Même pas. Avec cette chaleur, ils étaient restés dedans ; Mme Monique ne s'est pas privée de le répéter à M. le juge.

De nouveau, son Rémi s'était tu, regardant partout, la vaisselle, la pendule, sa montre, son bol, partout plutôt que dans ses yeux à elle.

— Il paraît que Baloo a perdu un œil ce jour-là ?

— Ce jour-là ou un autre… Mme Monique en faisait une maladie. Elle a trouvé un remplaçant au vide-greniers, mais quand il s'est agi de le recoller, j'ai refusé de l'aider sans passer la peluche à la machine : une vraie dégoûtanterie, à croire qu'elle n'avait jamais été lavée. Il en sortait de toutes les couleurs, du noir, du brun, du rouge…

— Du sang ? l'avait brusquement interrompue Nils.

Elle en avait lâché son économe.

— Du sang ? Pourquoi ça, du sang ?

Il avait baissé la tête, comme pris en faute, et fait semblant de beurrer sa tartine qu'il avait trempée dans son chocolat – interdit à la salle à manger –, tout ça pour finir par la laisser tomber dans son bol qu'il avait repoussé comme pour s'interdire de manger. Et c'est là que Jeanne avait compris qu'à force de sasser et ressasser ce qui était arrivé, il était en train de perdre la tête et qu'elle devait arrêter ça.

Elle avait mis de côté le « monsieur » et le « vous » et elle avait pris sa main de force, une main glacée.

— C'est pas en te rongeant les sangs que tu feras revenir Maria ni que tu effaceras tes jours de prison. Peut-être que tu le sais pas, mais moi aussi j'ai perdu un petiot, écrasé par un salopard qu'on n'a jamais retrouvé, pas plus qu'on retrouvera celui de la cabane après toutes ces années. Mon mari, mon Marcel, en est mort de chagrin et je l'aurais suivi si je n'avais pas décidé de replanter. On ne replante pas sur du malheur, on replante en remplaçant les mauvaises images par les bonnes, les larmes par des sourires, sans pour autant oublier ceux qui sont partis.

Et comme Nils secouait la tête, gardait son air buté, Jeanne avait eu une idée. Bonne ou mauvaise, l'avenir le dirait, tout ce qu'elle savait c'est qu'elle ne pouvait pas rester les bras croisés à le regarder s'enfoncer.

Elle s'était levée et elle avait ordonné :

— Maintenant, tu restes là et tu ne bouges plus. Interdit !

Parce que ça, elle l'avait toujours su : quand un enfant ou parfois même ceux qu'on appelle des « grandes personnes » ont perdu leur chemin, ils peuvent bien rouspéter, ça leur fait du bien d'être commandés.

*

Depuis que Jeanne était la seule employée à demeure au château, elle y possédait son royaume : les trois mansardes. L'une lui servait de chambre à coucher, la voisine, madame l'avait transformée en cabinet de toilette avec l'eau courante, et la troisième, monsieur l'appelait son « musée ».

C'est dans celle-ci qu'elle s'est rendue.

Elle y conservait tous les cadeaux offerts par les enfants : colliers de nouilles, coquillages peinturlurés, dessins avec des soleils, des arbres, des maisons, du ciel bleu et des nids, les cadeaux qu'on offre à sa maman et elle l'était devenue pour ceux d'ici puisqu'elle les avait tous vus naître et tenus dans ses bras.

Elle gardait aussi dans son musée ses albums de photos, alignés sur des étagères, en premier celui renfermant les photos jaunies bordées de dentelle de son Marcel et du petit Marcelin au temps des sourires, ces sourires sur lesquels elle avait trouvé la force de replanter en venant s'installer au château.

Dans les autres albums, un par famille, il y avait des photos de baptêmes, premiers pas, premières communions et la solennelle, mariages, des photos d'artistes prises par des professionnels. Mais les préférées de Jeanne, les plus précieuses à ses yeux, c'étaient les moins réussies, les maladroites, parfois un peu ratées, celles des moments ordinaires qui racontent le mieux la vie et qu'elle prenait elle-même, sans trop s'y connaître, avec des appareils à trois francs six sous.

Le dernier album était consacré à M. Thibaut et à sa petite famille, Mme Agnès et Aurore, qui avaient ramené le bonheur au château en plantant du neuf, du rire, sur le grand malheur arrivé trois années auparavant.

La photo qu'elle était montée chercher ne se trouvait pas dans un album, elle n'y aurait pas eu sa place. En plus, elle était unique, une rescapée, comme le lui avait expliqué Teresa Alvarez lorsqu'elle la lui avait confiée avant d'aller s'exiler à Châteaubernard. Toutes les autres, toutes celles où figurait l'assassin en compagnie de la petite, Luis Alvarez les avait brûlées et, les voyant se tordre dans les flammes, Teresa avait eu l'impression de voir Maria mourir une seconde fois ; on ne s'explique pas ces pensées-là, on sait seulement qu'il faut les écouter.

Jeanne a pris dans un tiroir l'enveloppe contenant la photo aux sourires sur lesquels elle espérait que Nils pourrait replanter. S'il n'en voulait pas, si c'était trop tôt, elle la remonterait ; après tout, c'est à ça que servent les musées, à montrer qu'hier c'était les mêmes bonheurs, les mêmes malheurs qu'aujourd'hui, habillés différemment et avec d'autres couleurs.

De toute façon, son « Rémi », elle ne le lâcherait pas.

L'amour est têtu ou il n'est pas.

15

Nils

Nils regarde la photo et il y est ! Il peut nommer le mois, mai, le jour, vendredi, l'heure, un peu moins de trois heures de l'après-midi. Un après-midi de soleil léger, accompagné par l'orchestre *mezza voce* du printemps dans le petit bois où, avec M. Alvarez, ils ont, ce matin, terminé la cabane.

Cinq semaines leur ont été nécessaires, mais c'est du bel ouvrage autour duquel semblent se pencher les pins aux pousses claires comme de tendres doigts la désignant et dont l'odeur acide se mêle à celle, miellée, des premières fleurs que butinent les abeilles.

Dieu, qu'il est heureux ! Le mobilier a été installé la veille sous les yeux émus de sa grand-mère : trois coussins de cuir rouge, « à toute épreuve », lui a-t-elle fait remarquer, et deux épaisseurs de tapis dans le coin salon. Table pliante, tabourets dans le coin cuisine, auxquels se sont ajoutés un peu de vaisselle et le garde-manger – pas encore rebaptisé « garde-sucreries » – qu'ils ont fixé au mur.

Ce matin, ils ont posé la porte et placé le verrou. Un verrou ? Nils était perplexe : rien à voler dans sa cabane. Finalement, il s'est rendu aux arguments du « chef de chantier » : le vent souffle fort ici, l'hiver, un animal pourrait s'y réfugier, y causant des dégâts. Et puis, s'est-il dit, ça fera plus « maison ».

Demain, samedi, inauguration. Au programme, champagne et pommes de terre sous la cendre.

Luis Alvarez lui a demandé s'il accepterait que son épouse prenne quelques photos d'eux devant leur œuvre pour immortaliser leur « compagnonnage ».

Si M. Nils acceptait, il en serait honoré. Depuis sa majorité, les employés du château ajoutent un « monsieur » à son prénom et il en est à la fois contrarié, redoutant que cela ne dresse une barrière entre eux, et fier comme s'il se rapprochait encore davantage du grand monsieur qu'est son grand-père.

Vêtus de propre, coiffés, rasés, ils prennent la pose devant la cabane. Mme Alvarez a acheté pour l'occasion l'un de ces appareils où pellicule et développement sont inclus dans le prix. Aucun réglage à faire, pas moyen de se rater le portrait, a-t-elle plaisanté.

Maria piétine. Elle veut, elle aussi, être de la fête. Après quelques clichés des héros du jour, elle obtient la permission de se joindre à eux, hop, sur les épaules de Nils ! Il sent encore les menottes de la fillette – les « menottes »… – empoigner ses cheveux. Il entend ses cris mêlés de rires : « Hue, hue ! »…

C'est alors que surgit Alexander, traînant Baloo par la patte. Il les rejoint de sa démarche gauche en poussant ses rires-grognements, se colle à la cuisse de Nils : « Nis… Nis… » Celui-ci fait signe à Teresa : d'accord ! Au moment où le flash crépite, Monique, jamais loin de son fils, les rejoint, furieuse : qui leur a permis ? Ses protestations mettent fin à la séance.

Teresa Alvarez, confuse, promet de jeter la photo où Alexander apparaît.

Elle n'a pas tenu sa promesse. C'est bien cette photo que Nils tient entre ses mains. Ce sont sur ces sourires, le sien, comblé, celui, fier, de Luis Alvarez, espiègle de Maria, hésitant d'Alexander, que Jeanne espère qu'il pourra replanter du bonheur.

Lui vient une idée.

16

Fine

Il était un peu plus de sept heures du soir, je lisais dans ma chambre, quand Nils m'a appelée. Il avait une voix bizarre, comme celle d'un cœur essoufflé : « Je t'attends à la maison, vite ! »

Benjamin regardait la télé au salon, papa était rentré et racontait sa journée à maman dans la cuisine en humant les bonnes odeurs du dîner, personne ne m'a vue sortir, j'ai galopé.

Philippine venait d'arriver, Nils ne m'a pas embrassée, il nous a ordonné, toujours de sa voix bizarre, de nous asseoir devant la table, et là on a découvert la photo et d'un coup je n'ai plus su où j'étais.

C'était une photo de la cabane en plein soleil, en plein bonheur. Alignés devant ses planches brillantes, M. Alvarez, le cou haut, fier comme Artaban, Nils à côté de lui, Maria sur ses épaules et, contre la cuisse de Nils, Alexander tenant Baloo par la patte, Baloo, ses deux yeux pareils. Tout le monde souriait ou riait, on avait l'impression que rien ne s'était passé, on venait juste de se réveiller d'un affreux cauchemar, tout allait recommencer comme avant.

Et en même temps, on savait très bien qu'il n'y avait plus de cabane, plus de Maria, plus d'Alexander ni de M. Alvarez au château, que le bonheur s'en était allé, remplacé par la guerre et les larmes et que rien ne serait plus jamais comme avant.

— D'où il sort, ce machin-truc ? a grogné Philippine.

— Ce machin-truc a été pris il y a quatre ans, la veille de l'inauguration de la cabane, par Mme Alvarez. La seule photo qui reste, son mari a brûlé toutes les autres. Elle l'a confiée à Jeanne, qui vient de me la donner : une rescapée.

— Ta rescapée, M. Alvarez aurait mieux fait de la brûler aussi, a râlé Philippine, sans même essayer de rire pour une fois. J'espère que tu n'as rien dit à Jeanne, au moins.

— Bien sûr que non. Et vous êtes les premières à qui je la montre.

— Et les dernières, a décidé Philippine en la retournant à l'envers.

J'ai murmuré :

— Pourquoi Jeanne te l'a-t-elle donnée ?

Nils m'a regardée tristement.

— Pour que je replante sur du bonheur, pas sur du malheur.

— Amen ! a lâché Philippine et je l'ai détestée.

Elle savait aussi bien que moi ce que Jeanne avait voulu dire par « replanter sur du bonheur ». Grand-mère lui avait permis de le faire en la prenant dans la famille après la mort de son fils et de son mari. C'est pour ça qu'elle disait qu'elle en faisait partie et on était tous d'accord.

De l'autre côté du mur, chez tante Béatrix, Aurore

a éclaté de rire et, de nouveau, tout s'est emmêlé dans ma tête, rires, larmes, hier, demain, la vie sens dessus dessous, surréaliste. La preuve ? Depuis que Philippine avait retourné la photo, elle remplissait toute la pièce, du sol au plafond, on ne voyait qu'elle.

Nils est allé à la cuisine et il a rapporté des canettes, Coca pour Philippine et lui, soda pour moi ; il connaissait mes goûts.

— J'ai un service à vous demander, les filles.

Je n'ai pas aimé « les filles », Philippine non plus, qui a répondu :

— Vas-y, on est tes hommes.

Mais ça n'a fait rire personne, même pas elle. Il a retourné la photo à l'endroit.

— Je voudrais la montrer à Alexander en l'absence de sa mère. Est-ce que vous pourriez m'aider à rentrer aux Mésanges un matin, même si les visites sont interdites ?

— Et t'espères quoi ? Qu'il dira : « J'avoue, c'est moi » ? a raillé Philippine.

— Il vous a reconnues, Fine et toi, et il a eu l'air content de vous revoir. Peut-être qu'il me reconnaîtra… et aussi Maria. C'est sa réaction que j'attends.

— Sa réaction ? Mais Nils, Alexander ne sait même pas que Maria est morte, ai-je protesté. Le mot « mort » ne veut rien dire pour lui. Tu ne te souviens pas de la grive ?

Une pauvre petite grive tombée du nid, souillée de terre, les yeux éteints, qu'Alexander avait ramassée dans le petit bois peu après l'arrivée de Nils au château. Il la balançait par une aile, la secouait, la grondait pour qu'elle se réveille et chante de nouveau, vole de nouveau. Alexander aimait bien regarder les oiseaux voler, même s'il ne pouvait pas les nommer, alors que Paulin y parvient. Tante Monique avait eu du mal à la lui arracher et après il l'avait cherchée partout.

— Bien sûr, je m'en souviens, a répondu Nils sombrement. Je me souviens de chaque jour, chaque heure, chaque moment passé ici… avant. En trois ans, j'ai eu le temps de faire la liste.

Il a désigné la photo :

— Cela ne donnera sans doute rien, mais c'est tout ce que j'ai pour avancer.

Il nous avait raconté sa visite à tante Monique et sa certitude qu'elle ne dénoncerait jamais Alexander.

— Eh bien moi, je ferais le contraire, a lancé Philippine, j'agrandirais cette photo, je débarquerais aux Mésanges l'après-midi, quand tante Monique y est, et je la leur mettrais sous le nez à tous les deux. Là, tu aurais une petite chance d'en voir un disjoncter.

J'ai revu Alexander essayant de ranimer la grive.

— Pauvre Alexander, ai-je soupiré.

— Ah non ! s'est indignée Philippine, tu ne vas pas recommencer. Pourquoi pas pauvre tante Monique pendant que tu y es ?

Nils s'est tourné vers moi, ses yeux un peu adoucis.

— Tu as raison, Fine. Alexander ignore probablement ce qu'il a fait. Et ce n'est pas à lui que j'en veux le plus, surtout depuis qu'on sait que Maria n'a pas été violée, juste… étouffée. La seule vraie coupable, c'est Monique. Elle m'a volé ma vie.

Il avait dit ces derniers mots d'une voix vibrante : cette preuve, il la voulait, cette preuve, il l'aurait.

Il s'est levé et a fait quelques pas dans le salon. Il avait égrené sur les murs des gravures représentant la campagne, la vigne, Cognac, jamais la mer, surtout pas la mer ? J'ai rêvé d'aller un jour avec lui à Oléron, mer étale, voile léger sur le soleil qui souligne le beau temps, les mouettes qui le saluent ; rêvé d'être avec lui sur la plage, ma tête sur son épaule.

Arrête, Fine ! Pas le moment de te la jouer fleur bleue.

Sur le buffet, une ancienne photo représentait Roselyne petite en robe à smocks et socquettes : petite fille sage, fille perdue, prostituée, mère admirable, c'était ça, la vie, pas une plage de sable fin aux coquillages nacrés. Dans la cheminée, un feu était prêt à partir : feu, foyer, famille, grillon du foyer, Nils sur les ailes d'un jars, si tendre et, il y a un instant, si résolu, presque dur. Finalement, je ne le connaissais pas si bien. On ne connaît jamais complètement quelqu'un. On ne connaît même pas tout de soi.

Pourquoi, soudain, cette photo sur la table me faisait-elle si peur ?

Il est revenu vers nous. Son visage était plus calme.

— J'ai rencontré Gabrielle. Je lui ai demandé ce qui arriverait à Alexander le jour où sa culpabilité serait prouvée. Bien sûr, il ne pourra pas rester aux Mésanges, mais il ne fera certainement pas de prison. Il sera placé dans un établissement psychiatrique, bien traité, seulement… calmé. Il pourra recevoir des visites.

Il en parlait comme si c'était fait !

— Tu es allé voir Gabrielle et tu ne nous as rien dit ? Merci pour la confiance ! a râlé Philippine. Et à part l'établissement psychiatrique super cool, qu'est-ce que vous vous êtes raconté de beau ?

— Si je trouve cette preuve, lors du nouveau procès, elle sera à mes côtés. Et elle s'occupera de trouver le meilleur pour défendre Alexander.

Bien sûr, c'était à nos grands-parents que Nils avait pensé en allant voir Gabrielle ! Leur choc en apprenant qui était le coupable, leur désespoir.

Et tout qui recommence : enquête, interrogatoires, dépositions… Et les journalistes qui se régalent : bravo, les Saint Junien ! Nils d'abord, Alexander ensuite. Jamais deux sans trois ? Confirmé : Monique complice du crime.

Mon portable a vibré dans ma poche : Benjamin.

— T'es où ? On va bientôt dîner, tu viens ?

— Plus tard.

Je l'ai éteint.

— Alors, partantes pour m'aider ? a demandé Nils.

— Cette question ! a répondu Philippine en levant les yeux au ciel.

— Et toi, ma Fine ?

« Ma Fine. »

Je l'ai regardé au fond des yeux, en y mettant toute ma force, en lui interdisant de mentir.

— Si tu ne trouves pas cette preuve, si tu es obligé de continuer à vivre… comme maintenant, est-ce que tu pourras être heureux quand même ?

Ça voulait dire heureux au château dans sa maison, dans son travail avec nous tous, avec moi un peu.

Il a secoué la tête.

— Jamais assez pour… replanter.

— Alors, je suis partante pour t'aider.

Il nous a exposé son plan.

17

Nils

Il fait encore nuit, ce samedi 1er décembre, lorsque Nils sort de chez lui. Le temps est douceâtre, tombe une pluie fine.

Il jette un regard alentour. C'est éteint dans la chambre de ses grands-parents où, à huit heures, Jeanne montera le plateau du petit déjeuner, allumé dans celle d'Agnès où Aurore s'est réveillée… aux aurores, éteint chez Monique qui, paraît-il, peine à trouver le sommeil : un poids sur la conscience, chère tante ? Elle est fort capable d'avoir donné la consigne aux Mésanges de ne laisser entrer personne en son absence dans la chambre d'Alexander, c'est pourquoi Fine a été chargée d'ouvrir l'œil. Si quoi que ce soit d'inaccoutumé se produit, elle les appellera aussitôt.

Seule sa fenêtre est éclairée dans la maison de la généreuse Hermine et de son joyeux Gilles. Fine y apparaît et lui adresse un signe auquel il répond, le cœur serré, ô ma Fine, ma douce, pourrai-je t'avouer un jour ? Cet aveu-là serait du bonheur.

Feux éteints dans la guérite du colonel, Philippine piaffe sur le tarmac. Ils coiffent leurs casques, passent la grille en poussant la moto, continuent encore sur une centaine de mètres avant de démarrer. Sous son blouson, dans la poche de sa chemise, il sent l'enveloppe contenant la photo. C'est parti !

Le jour se lève lorsqu'ils traversent Cognac où guirlandes et haut-parleurs ont fait leur apparition depuis une bonne semaine : Noël, fête commerçante.

Direction La Rochelle, l'île d'Oléron. Quand découvrira-t-il enfin cette mer dont on lui a tant vanté la transparente gaieté ?

Sept heures, samedi, peu de monde encore sur la route. Ils ont décidé de s'arrêter un instant à Saintes pour y reprendre souffle et revoir une dernière fois le plan.

Philippine s'est renseignée sur les horaires : le seul moment où ils ont une chance de voir Alexander seul dans sa chambre est entre le petit déjeuner, servi à huit heures, et la toilette environ une heure et demie plus tard. Ils agiront donc à huit heures quarante-cinq. Le visage de Philippine est connu aux Mésanges, elle passera devant, il suivra discrètement. Si quelqu'un s'étonne de leur présence, elle affirmera avoir une lettre à remettre à leur cousin de la part de sa mère, Mme Monique de Saint Junien, qui craint de ne pouvoir venir cet après-midi : pas de scrupule vis-à-vis de celle qui n'en a eu aucun en le condamnant.

De chaque côté de la route s'étend la vigne en dormance. Philippine conduit prudemment, pas question d'être retardés par la maréchaussée. Se tenant à sa taille, ce sont les bras de Fine entourant la sienne que Nils sent.

Et voici Saintes, annoncée par la flèche de la cathédrale Saint-Pierre.

Un beau pont, des arènes, une spacieuse avenue que, à l'étonnement de Nils, Philippine ignore. Elle se faufile dans de petites rues endormies… jusqu'au cimetière où elle stoppe devant une sorte d'obélisque au cœur duquel une large main de pierre sculptée tient une équerre et deux compas. Elle soulève la visière de son casque.

« Œuvre d'un certain Alexius représentant la main d'un menuisier. J'ai pensé que ça ne mangerait pas de pain de lui faire un petit coucou en passant. »

Et déjà, elle redémarre : Philippine superstitieuse ? Philippine émue.

Non loin du marché, la brasserie où ils s'arrêtent est en pleine effervescence. Sur le zinc, cafés crème, grands et petits noirs circulent, parfois « arrosés ». Des commerçants, dont la blouse dépasse d'un imper ou d'un ciré, refont le monde à grands cris et protestations, ah, s'il n'y avait qu'eux…

Il n'y a pas qu'eux ! Philippine entraîne Nils au fond de la salle, ils s'installent à une table tranquille, passent commande.

Sept heures quarante-cinq : dans trois quarts d'heure, ils seront à pied d'œuvre.

Et soudain, Nils n'y croit plus. Sans doute Alexander reconnaîtra-t-il Maria, mais lui, qu'il a si peu vu, après plus de quatre ans ? Et pour une fois, une plaisanterie, même limite, de Philippine ne lui déplairait pas. Mais elle demeure silencieuse, évitant d'en rajouter ?

« Tchin ! »

On peut trinquer, la mort dans l'âme, avec deux tasses de mauvais café.

Il est huit heures trente, planning respecté, lorsqu'au bout d'une petite route en pleine campagne leur apparaissent les bâtiments des Mésanges, au centre d'un parc entouré de murs blancs. Philippine arrête sa moto un peu avant le portail, ouvert à deux battants sur la cour qu'emplissent des camionnettes de livraison. Ils attachent leurs casques au guidon, plient leurs blousons de motard dans les sacoches. Pulls, jeans, baskets : tenue anonyme.

La cour traversée sans encombre, ils pénètrent dans le hall. La chance les sert : des livreurs font la queue à la réception où officie une imposante dame à lunettes qui ne leur accorde pas la moindre attention, pas l'heure, vraiment pas, des visites ! Ils se dirigent calmement vers les ascenseurs, la chambre d'Alexander est au second, n° 22, ils préfèrent emprunter d'escalier.

Les petits déjeuners se terminent, flottent des odeurs de pain chaud, croissants, lait, jus de fruits ; pas de café pour les « résidents » de la pension quatre étoiles. Des employées en blouse rose rassemblent les plateaux sur des chariots. Suivie de Nils, Philippine avance dans le couloir d'un pas assuré. Une fleur orne chaque numéro de chambre, c'est gai ! Une blouse rose se retourne et les suit des yeux, étonnée. Nils lui sourit, elle lui retourne son sourire, ouf ! Un bouton-d'or décore la porte 22, Philippine la pousse sans frapper.

Alexander est dans son lit, adossé à deux oreillers « bouton-d'or ». Il porte un pyjama clair, les yeux mi-clos, il écoute la musique diffusée par un haut-parleur, douce, apaisante.

La chambre, vaste, donne sur le parc, fenêtre sans poignée, quelques meubles, un tableau champêtre au mur. Au fond, les objets qu'Alexander a eu l'autorisation d'emporter pour reconstituer son « territoire » : l'imposant château fort, tours, donjons, mâchicoulis, une pile de BD, quelques antiques jouets, le tout dans un ordre parfait. Sans doute préfère-t-il désormais d'autres jeux, plus collectifs.

C'est un homme que Nils découvre. Il a perdu beaucoup de poids ; alimentation contrôlée, exercice physique. Ses cheveux sont coupés court, une barbe naissante ombre ses joues, seuls les yeux n'ont pas changé, d'un bleu étonnant, émouvant : bleu Saint Junien. Ils s'éclairent en reconnaissant Philippine, s'interrogent en découvrant Nils, sourcils froncés par l'effort de mémoire.

Tranquille, souriante, Philippine s'approche.

— Bonjour, Alexander ! Je t'ai amené Nils. Nils, tu te souviens ? Nils…

Dans le regard fixé sur lui, aucune hostilité, une sorte de flou, une incertitude, et Nils reconnaît la voix lorsque soudain son cousin bredouille : « Nis ? Nis ? » et une émotion inattendue s'empare de lui. « Pauvre Alexander », a murmuré Fine hier. Oui !

Alors que Nils fait un pas en avant, en un réflexe, celui-ci attrape son ours et le serre contre sa poitrine. Qui est le protecteur ? Qui le protégé ? Dans les haut-parleurs, la musique se poursuit. C'était plus pour celle-ci que pour les images dont il ne comprenait pas toujours la signification qu'Alexander aimait à allumer la télévision lorsqu'il était chez lui. La musique, langage universel que chacun s'approprie en l'accordant aux couleurs de son âme, sans pour autant en dénaturer la beauté.

— Ça va, Alexander ? Je suis heureux de te revoir, commence Nils.

Est-ce un sourire sur les lèvres épaisses ? Une invitation à s'approcher davantage, à poser la main sur son épaule, à ébouriffer ses cheveux comme autrefois : Alexander à réapprivoiser ?

Mais des pas retentissent dans le couloir, des voix. Philippine lui adresse un signe ; pas de temps à perdre ; maintenant ! Nils sort l'enveloppe de sa poche, en tire la photo, la montre à Alexander.

— Regarde, la cabane, tu te souviens ?

Le cri de rage les pétrifie.

— Méchante, méchante !

Alexander arrache la photo à Nils, la frappe, frappe Maria ?

— Méchante, punie !

Il lâche la photo et, sans cesser de crier, quitte son lit, va à son château fort, plonge la main dans l'une des ouvertures, faisant vaciller l'édifice, en extrait quelque chose qu'il lance avec fureur contre le mur.

Avant que Philippine et Nils aient pu intervenir, la porte s'ouvre à toute volée et deux infirmières apparaissent. Elles se précipitent sur leur patient, le maîtrisent en prononçant des paroles apaisantes, le ramènent à son lit, le forcent à s'y étendre, lui mettent son ours dans les bras.

Tandis que l'une l'oblige à avaler un comprimé avec une gorgée d'eau, l'autre appuie sur un bouton qui passe au rouge : alerte ?

— Qui êtes-vous ? Que faites-vous ici ? Qui vous a autorisés à entrer ? aboie-t-elle.

Laissant Philippine répondre, montrer l'enveloppe, prononcer le nom sésame « Saint Junien », Nils recule, s'adosse au mur, se laisse glisser jusqu'à l'objet lancé par Alexander. Son cœur bat à tout rompre : il ne s'est pas trompé. Il sort son mouchoir de sa poche, le ramasse sans laisser d'empreintes.

Il était temps !

Un homme en blouse blanche, épaules carrées, tout du « videur », fait à son tour irruption dans la chambre. Après avoir échangé quelques mots avec les infirmières indignées, Saint Junien ou non, il pousse sans ménagement les « intrus » dans le couloir, les reconduit jusqu'au hall, ne les libère qu'une fois le portail franchi, et qu'ils ne s'avisent pas de revenir n'importe quand, il y a des heures pour les visites.

*

Ce n'est que loin, très loin des Mésanges, une fois assuré d'être à l'abri des regards, que Nils a frappé l'épaule de Philippine pour qu'elle s'arrête. Il a déplié le mouchoir sur le siège de la moto.

Au cœur d'un immonde magma poussiéreux, fait de débris racornis de chair, de filaments décolorés de cheveux, le faible éclat d'un diamant.

18

Fine

J'aurais bien voulu aller aux Mésanges avec Nils et Philippine, mais interdit de monter à trois sur une moto, même sur celle d'une avocate. Et, en plus, Nils avait besoin de moi pour surveiller les mouvements de tante Monique – la porte à côté. Si je remarquais quoi que ce soit de suspect, je devais les avertir tout de suite.

Dès sept heures, j'ai ouvert mes volets, sans les claquer contre le mur : volets claqués, bruit d'été, bonjour le soleil ! Pour l'été, on avait encore un certain temps à attendre ; où en serions-nous quand il reviendrait avec tam-tams et trompettes ? Où en serais-je avec Nils ? Quant au soleil, le frissonnement des arbres sous la pluie, le clapotement de celle-ci sur le gravier de la cour, annonçaient sa défection aujourd'hui.

Philippine est sortie la première, elle a couru vers le tarmac en passant par les pelouses pour ne pas être entendue. Puis la porte de Nils s'est ouverte.

Avant de la rejoindre, il a levé les yeux vers les fenêtres. Me voyant à la mienne, il m'a fait signe, j'ai répondu en lui criant tout bas, de toutes mes forces, que je l'aimais. J'ai attendu que le bruit de la moto se soit éteint pour regagner mon lit, je grelottais.

*

— Déjà habillée, ma fille ? s'est étonnée maman quand je suis descendue à la cuisine où, le week-end, on petit-déj ensemble sans se presser, le plus souvent sans Benjamin qui met un point d'honneur à se lever à pas d'heure les jours de congé.

— Programme chargé en perspective ? s'est enquis papa en me tendant la joue.

Ma réponse était prête : j'avais l'intention de commencer à rédiger mon rapport de stage sur Paulin, dont je leur parle souvent et auquel ils s'intéressent vraiment. Il était temps : plus qu'un mois avant de le remettre aux services sociaux de la mairie.

— Même pas une petite récré pour venir avec tes parents préférés choisir le sapin de Noël ? a insisté papa.

Il y a toujours un méga sapin dans le salon du château, ce qui n'empêche pas un petit à la maison, le plus important.

— Même pas !

— À propos, tu ne nous as pas dit ce que tu voulais dans tes souliers ? a remarqué maman. Une surprise ?

— Surtout pas ! On en a eu assez comme ça ces derniers temps.

Ils ont ri. J'ai fait semblant.

Semblant aussi de participer au festin : brioche, croissants, pains au chocolat, confitures variées, miel « toutes fleurs » – ma gorge était trop serrée : huit heures trente-cinq, Philippine et Nils arrivaient aux Mésanges. Aucun mouvement du côté de tante Monique pour l'instant.

— Pas faim, ma Finette ?

— Pas très.

Maman n'a pas insisté.

Je me suis installée à la salle à manger, côté cloison de tante Monique.

J'ai étalé sur la table mes « carnets de bord », sur lesquels je note les progrès de Paulin, les réactions de la classe, les remarques de la maîtresse ainsi que les miennes, et j'ai commencé à mettre de l'ordre. Plus tard, je rentrerai tout dans l'ordi.

Avant de partir, vers neuf heures pour éviter la cohue du samedi, papa a passé la tête à la porte.

— Je te confie la maison !

J'ai été soulagée en entendant leur voiture démarrer.

Impossible de me concentrer, je regardais ma montre toutes les trois minutes. À présent, ils étaient forcément là-bas. Étaient-ils parvenus à entrer dans la chambre d'Alexander ? Nils lui avait-il montré la photo ? Avait-il eu la réaction qu'il espérait ?

Et soudain, à quelques centimètres de moi, le téléphone sonne chez tante Monique : le fixe. Elle a renoncé au portable depuis qu'Alexander a démoli celui que grand-père lui avait offert en le jetant contre le mur après avoir essayé en vain d'attraper les voix et la musique qu'il y entendait.

Une sonnerie, deux, dix : quelqu'un qui s'entête ! Grand-mère pour lui rappeler qu'elle déjeune au château ? Nous, c'est le dimanche. Son pas dans l'escalier et enfin elle décroche. Son cri me foudroie.

« COMMENT ? Qu'est-ce que vous me racontez ? QUI ? »

Je n'entends pas la réponse, elle hurle : « J'ARRIVE ! » et raccroche.

Je fonce au salon, me planque derrière un rideau et guette, mon mobile à la main. Même pas cinq minutes plus tard, la voici ! Sans fermer ses volets, ni même sa porte à clé, elle galope vers le tarmac. J'attends les éternuements de sa voiture pour appeler Nils. Mes doigts tremblent si fort que je m'embrouille avec mon répertoire. Il est sur messagerie, Philippine aussi. Je leur envoie le même message : « Tante Monique est en route pour les Mésanges, elle a été avertie de votre présence, elle est furieuse. »

Je reviens à la salle à manger. Pas de panique ! Depuis quand vous met-on en prison pour une visite en dehors des horaires autorisés ? Et le temps que Monique arrive là-bas, ils seront de retour ici. Je leur en veux. Si c'était pour ne pas répondre, pourquoi m'avoir chargée de faire le guet ? Ne manquait plus à mon bonheur que Benjamin, débaroulant les marches de l'escalier.

— Eh, oh, il y a quelqu'un dans cette baraque ?

Personne ! J'abandonne mes papiers et fonce chez Nils où on s'est donné rendez-vous pour faire le point vers dix heures et demie ; il est moins le quart.

19
Fine

Avec les rideaux fermés, on n'y voyait rien. Je suis allée à tâtons allumer la lampe sur la table basse, je suis tombée dans le canapé et j'ai fermé les yeux, le temps que mon cœur s'apaise. Ça sentait le café, la mousse à raser, le garçon. Je n'étais encore jamais entrée chez Nils en son absence et je n'étais pas sûre d'avoir le droit.

Papa dit toujours que lorsque quelque chose nous angoisse, il faut imaginer le pire pour se calmer. Un, parce qu'il est rare que le pire se produise. Deux, parce que s'il se produit, on s'y sera préparé.

Au pire, ils n'auraient pas pu voir Alexander seul et reviendraient bredouilles : ce qui ne serait pas une telle surprise. Au pire, ils subiraient une crise de tante Monique, ni la première ni la dernière. Espérons qu'elle n'en parlerait pas à grand-père.

Au pire, un gros mensonge à trouver pour expliquer leur virée là-bas.

Rien de dramatique.

Vers dix heures, Béatrix et Agnès sont parties au marché : paniers et parapluies. J'espionnais par le rideau entrouvert.

— Quel temps ! a râlé tante Béatrix.

— Bon pour la nappe phréatique, s'est réjouie Agnès, et pour une fois elle m'a énervée.

Thibaut avait été chargé de garder Aurore. Très vite, j'ai entendu des rires : le gros rire du loup, le fou rire du petit chaperon rouge. Ça m'a fait du bien, du quotidien.

Presque onze heures et toujours rien, aucune moto à l'horizon, mon mobile muet. Il était forcément arrivé quelque chose, quelque chose de grave. Je ne décollais plus de la fenêtre. Au pire ? Je n'avais plus de réponse.

Et puis…

Le grondement de la moto est monté comme un avis de tempête. Rouge écarlate, rouge sang, elle a passé la grille, pris l'allée, et cette fois sans précaution, sans chercher à se cacher, Philippine s'est arrêtée pile devant chez Nils.

Ils ont sauté de la moto, ils sont entrés, Nils a fermé la porte à clé, ce qui ne lui arrive jamais, même la nuit, et ils ont laissé tomber sur le seuil leurs casques et leurs blousons trempés.

— On a reçu ton message, a dit Nils. On pense avoir vu la voiture de Monique sur la route de Saintes, mais avec ce qui tombe, on n'est pas certains.

— De toute façon, ça n'a plus d'importance, a ajouté Philippine.

Je n'y comprenais rien : leurs visages sombres, leurs voix contraintes, cassées ? Et qu'est-ce qui n'avait plus d'importance ?

Nils a posé la main sur mon épaule : « Viens. »

On s'est assis devant la table, comme lundi dernier lorsqu'il nous avait montré la photo, mais cette fois, c'est son mouchoir qu'il a sorti de sa poche et qu'il y a posé.

— La surprise du chef ! a grogné Philippine.

— Je dois te prévenir, c'est peu ragoûtant à voir, m'a avertie Nils. Tu es prête ?

J'ai fait « oui » avec ma tête et « non » avec mon cœur, le contraire du cancre dans le poème de Prévert, et Nils a déplié le mouchoir très lentement, comme s'il craignait que quelque chose ne s'en échappe.

Ce n'était pas « peu ragoûtant », c'était abominable : dans ce qui restait du lobe d'oreille de Maria, le minuscule diamant.

Nous l'avions tant cherché, Philippine et moi. Nous avions tellement espéré le trouver près de la cabane, nous avions fini par nous dire qu'il avait brûlé avec elle.

C'était pire que le pire dont parlait papa, c'était l'inimaginable.

— Ça va ? m'a demandé Nils.

— Merveilleusement bien, ai-je bredouillé : alors il s'est penché vers moi et, sans se préoccuper de Philippine, il a posé ses lèvres sur les miennes.

Puis il a sorti son portable.

— J'appelle Gabrielle, elle nous dira ce qu'il faut faire.

Il l'a eue tout de suite, et c'est quand il a raconté la crise d'Alexander en voyant la photo, la « méchante, punie » et le diamant caché dans son château fort que j'ai appris comment les choses s'étaient passées.

Nils avait mis le haut-parleur et on aurait dit que Gabrielle était là, assise à la table avec nous. On l'entendait respirer, fort, moins fort, retenir son souffle, on pouvait imaginer son visage, étonné, sérieux, incrédule, et lorsque Nils a parlé de la boucle d'oreille et qu'elle s'est exclamée : « Oh mon Dieu ! », on a compris que, comme nous, elle n'arrivait pas à se réjouir vraiment.

— Qu'est-ce que j'en fais ? a demandé Nils d'une voix tendue.

— Tu as eu le bon réflexe en la mettant dans ton mouchoir, a-t-elle répondu. Surtout, tu n'y touches plus, la suite, je m'en occupe. Bien sûr, pas un mot, à personne. Quand je pense que c'est Monique qui a interdit au personnel des Mésanges de toucher au territoire de son fils… protégeant la preuve.

La preuve…

Elle s'est interrompue quelques secondes. « Cette fois, je pense que c'est bon », a-t-elle ajouté avant de raccrocher.

— C'est bon, c'est bon, il me semble qu'on a connu meilleur, a grondé Philippine ; dans sa voix, il y avait des larmes, et là, c'était carrément magnifique. Du coup, je n'ai plus cherché à retenir les miennes.

Et puis on frappe à la porte, plusieurs coups très forts : tante Monique ?

Nils remet en vitesse le mouchoir dans sa poche, se lève.

— Qui est-ce ?

— Edmond ! Puis-je entrer, s'il te plaît ?

On reste tétanisés : grand-père ? Que vient-il faire ici ? Nils court ouvrir.

Ses cheveux blancs sont collés à son crâne par la pluie, son visage est gris, creusé, plein de rides nouvelles, son regard hésite, il a l'air d'avoir cent ans. Mais le plus poignant, ce qui nous serre le cœur, c'est la belle cravate bien droite, barrée d'une épingle en forme de flamme, sa cravate envers et contre tout : le panache ?

Philippine et moi nous sommes levées, ses yeux passent brièvement sur nous. Il n'a pas l'air étonné de nous trouver là. Il referme la porte et avance d'un pas.

— L'hôpital de Saintes vient d'appeler : Monique a eu un accident de voiture. Avec cette pluie, dans sa foutue guimbarde, elle a dérapé. Rien de grave, rassurez-vous : un poignet foulé et quelques ecchymoses. Votre grand-mère est partie la chercher avec Pierre.

Son regard descend sur les casques et les blousons trempés près de la porte.

— Je l'ai eue à l'appareil. Elle m'a appris que vous étiez allés voir Alexander aux Mésanges ?

Il y a un silence. « Pas un mot, à personne », a recommandé Gabrielle à Nils.

Il s'avance.

— Si tu veux bien, grand-père, j'ai à te parler.

Il nous fait signe de rester.

Ils sortent.

QUATRIÈME PARTIE

SILENCE D'HONNEUR

1

Edmond

Edmond regarde le diamant terni au creux du mouchoir déplié sur la table basse, devant le canapé du salon, au château. Dehors, la pluie continue de tomber et il se dit qu'il préférerait le blanc implacable de la neige, un froid glacial, à ce gris chant funèbre qui semble envelopper de deuil tout ce dont, autrefois, il tirait tant de fierté.

Edmond regarde son aveuglement.

« Pardonne-moi, grand-père, je vais te faire du mal », l'a averti Nils d'une voix où il a senti une résolution désespérée, avant de lui révéler, en une phrase, quelques mots, deux prénoms, l'atroce vérité.

Lui révéler ?

Il lui semble qu'il savait ! Il s'est fermé les yeux, il a ignoré les cailloux noirs semés sur son chemin par le coupable de la mort abominable d'une petite fille dont il était, en quelque sorte, responsable. Il s'est bouché les oreilles.

Le cri de Monique : « Il l'a violée ! » – ce qu'elle pensait qu'Alexander avait fait. Ses révélations sur l'enfance de Nils à un grand journal – pour mieux l'enfoncer. Son subit accord pour qu'Alexander soit placé aux Mésanges, alors que, jusque-là, elle s'y refusait farouchement – afin de le protéger. Et, récemment, sa crise d'hystérie en apprenant le retour de Nils au château : « Il va mettre son nez partout, jouer à ses petits jeux hypocrites, espionner… »

Edmond regarde Nils, ce petit-fils tombé du ciel, dont les yeux, du même bleu que ceux de sa mère, ont, dès la première minute dans un port lointain, gagné son cœur. Le garçon perdu qui n'attendait que sa main pour le suivre, si confiant, naïf, émouvant, confié à lui par Roselyne envers laquelle, en donnant tout son amour à son fils, en l'entourant de toute son attention, il lui semblait se racheter un peu de l'avoir abandonnée, de ne pas l'avoir suffisamment cherchée, quitte à mettre à ses trousses toutes les polices du monde.

Père insuffisant ? Grand-père aveugle, sourd aux avertissements ?

Nils tend la main pour refermer le mouchoir. Il l'arrête.

— Laisse !

Une sourde colère monte à présent en lui.

— Depuis quand sais-tu ?

— Une lettre de Philippine où elle m'apprenait que Baloo avait perdu un œil et que Monique l'avait remplacé par un plus petit. J'avais vu l'ours lors de mon premier passage à la cabane, ses deux yeux étaient pareils, et il n'était plus là quand, un peu plus tard, j'y avais retrouvé Maria… Alexander ne s'en séparait jamais longtemps, qui d'autre que lui ? J'ai suivi la piste, tout collait.

— Et tu n'as rien dit ?

— J'en ai parlé à Gabrielle ; elle a fait une enquête discrète.

Gabrielle ! Gabrielle Darcet, l'avocate qu'Edmond avait choisie pour défendre son petit-fils, elle aussi au courant, elle aussi muette, le tenant à l'écart de ses recherches. De quel droit ?

— Et alors ?

— Elle a interrogé tante Béatrix que l'attitude de Monique, son acharnement contre moi, cette histoire de viol, contredite par l'autopsie, avaient troublée. Mais pas au point de douter de ma culpabilité. Béatrix a vu Alexander endormi, elle m'a vu, soi-disant, frapper Maria, plus le sang et tout. C'est après être allée aux Mésanges, rencontrer Monique et Alexander, devant la panique de Monique, ses mensonges sur certains détails importants, les témoignages sur les horaires, qu'elle a abouti aux mêmes conclusions que moi.

Edmond se lève, incrédule, outré.

— Et elle s'est tue ! Elle t'a laissé condamner ! Mais pourquoi ?

— C'était mon choix, grand-père. Si Gabrielle avait fait part de ses doutes au juge d'instruction, l'enquête repartait de zéro. Et sans preuve, rien de solide à apporter, nous n'avions aucune chance de gagner, de convaincre le jury. Je serais encore en prison, j'ai choisi de rentrer plus vite.

— Et de trouver la preuve…

— Nous l'avons depuis ce matin, grâce à la photo de Jeanne.

Edmond reprend place dans le canapé. Jeanne… Nils lui a raconté la photo prise par Mme Alvarez, sur laquelle se trouvait Maria, qui a mis Alexander en fureur et lui a valu… l'horreur tirée du château fort.

Il replie le mouchoir. Son regard va vers la crèche disposée sur la cheminée, ce matin même. Il ajoutera chaque jour un santon pour Aurore. Les mots de la Bible lui reviennent, prononcés par Dieu, chassant Adam du paradis : « Tu es poussière et tu retourneras à la poussière. » Pauvre petite Maria, dont Nils était le dieu, et sa cabane le paradis, si fière de sa boucle d'oreille que certains, au château, trouvaient de mauvais goût, voilà tout ce qu'il reste de toi !

Il regarde le sapin, un peu plus loin, dressé la veille avec l'aide de Pierre, les guirlandes d'ampoules, l'étoile d'or effleurant le plafond. Si Maria avait vécu, un cadeau aurait été suspendu pour elle à l'une de ces branches, qu'elle serait venue chercher le 25 décembre. Un cadeau pour elle, une enveloppe pour ses parents. Alexander et Monique, Seigneur !

Il se tourne vers Nils.

— Justice sera rendue ! promet-il.

Et, à cet instant, on frappe à la porte. Son « Oui ? » est irrité, la tête de Jeanne apparaît.

— Pardonnez-moi, monsieur, mais Mme Darcet vient d'arriver, elle demande à voir M. Nils.

Tous deux se sont levés.

— Je l'ai appelée en rentrant des Mésanges, bredouille Nils, confus.

— Eh bien, j'avais justement l'intention de le faire, répond Edmond.

Il se tourne vers Jeanne.

— Dites à Mme Darcet que nous allons la recevoir. Et apportez-nous quelques rafraîchissements, s'il vous plaît. Il fait soif.

2

Nils

Gabrielle est entrée, vêtue en amazone : pull noir sur lequel tombait sa tresse de cheveux blonds. Pantalon de même couleur, bottes cavalières.

Son regard est passé de son grand-père à lui, puis il est descendu sur le mouchoir plié sur la table et ce qu'elle a fait, Nils n'en avait été témoin qu'une seule fois, le jour où le jury du tribunal d'Angoulême ne l'avait condamné « qu'à » cinq années d'emprisonnement, elle est allée droit vers Edmond, et elle l'a embrassé, elle, la femme compatissante, lui, l'homme blessé.

— Si nous nous asseyions ? a proposé celui-ci d'une voix brouillée.

Il a fait signe à Nils de le suivre dans le canapé, Gabrielle a pris place dans le fauteuil en face d'eux. Le silence est tombé. Elle a désigné le mouchoir.

— Je peux ?

— Faites, a répondu Edmond.

Elle l'a déplié du bout des doigts, s'est penchée un long moment sur le contenu, sans le toucher, a hoché affirmativement la tête et l'a replié.

Puis elle a sorti de son sac un sachet en plastique transparent et y a glissé le carré de tissu avec précaution.

— Si vous êtes d'accord, je déposerai ceci, dès cet après-midi, dans un laboratoire spécialisé. Nous devrions avoir les résultats des analyses en milieu de semaine prochaine.

Edmond a acquiescé.

— Nils vient de tout me raconter, a-t-il dit. Je regrette d'avoir été tenu à l'écart de votre enquête mais vous sais gré de l'avoir menée. À propos de Monique, elle a été victime d'un accident de voiture, sans gravité, en sortant des Mésanges où elle s'était rendue après avoir été avertie qu'Alexander… avait eu de la visite. Ma femme est allée la chercher à l'hôpital de Saintes. Elles ne devraient plus tarder à rentrer, aussi, si vous voulez bien, ne perdons pas de temps. Parlons.

Il a mis la main sur l'épaule de Nils.

— Sachez d'abord que je désire que tout soit mis en œuvre pour la réhabilitation de mon petit-fils.

Si Nils avait craint un instant que son grand-père ne lui en veuille du choix déchirant devant lequel il le plaçait, cette main, cette voix, l'ont pleinement rassuré : pas moins d'amour. Amour blessé ? Et, dans le regard de Gabrielle, il a lu l'admiration.

— Vous pouvez compter sur moi, a-t-elle répondu.

— À présent, pouvez-vous me dire ce qu'il adviendra d'Alexander une fois le juge averti de son geste… atroce ? Même si Nils affirme qu'il ignorait ce qu'il faisait et qu'il croit Maria toujours vivante.

— Sa maladie étant reconnue, il sera placé d'emblée dans un établissement psychiatrique où divers experts évalueront son degré de responsabilité au moment des faits. Il y restera jusqu'au procès en révision, décidé par le procureur de…

Un nouveau coup frappé à la porte a interrompu Gabrielle. Jeanne est entrée, portant un lourd plateau en argent qu'elle a posé sur la table. S'y trouvaient une carafe de jus de fruits, cinq verres et une petite pile de serviettes brodées.

— Verriez-vous double, Jeanne ? a tenté de plaisanter Edmond en désignant les verres.

— Pardonnez-moi, monsieur, mais j'ai pensé que madame ne devrait plus tarder à revenir avec Mme Monique et sans doute qu'elles auront soif aussi.

— Vous êtes toute pardonnée, a répondu Edmond en s'efforçant de sourire. Merci.

Comme Jeanne ressortait, Nils l'a suivie des yeux, la gorge serrée. Quand apprendrait-elle que la photo qu'elle lui avait confiée pour replanter était en train de bouleverser le terreau de cette famille qu'elle aimait tant ?

Edmond a rempli les verres de jus d'orange et de pamplemousse pressés.

Ils ont bu en silence, c'était bon, frais, c'était avant.

— Vous parliez d'un procès en révision ? a repris son grand-père.

— Alexander n'y assistera pas et il ne fait aucun doute pour moi qu'il sera jugé irresponsable de son acte, a affirmé Gabrielle. Si vous le souhaitez, Edmond, je vous adresserai à un confrère, spécialisé dans ce genre de cas… douloureux, qui se chargera de sa défense.

— Je vous remercie, a répondu sobrement Edmond. Une autre question : si j'ai bien compris, à l'issue du procès, mon petit-fils devrait rester, cette fois définitivement, dans ce que vous appelez un « établissement psychiatrique », aura-t-il le droit d'y recevoir des visites ?

Pour la première fois, prononçant les mots « établissement psychiatrique » – pensant « asile » ? – la voix d'Edmond s'était brisée. « Mon petit-fils » : quoi qu'il ait fait, Alexander le restait.

— Mais bien sûr ! l'a vite rassuré Gabrielle. Vous aurez même votre mot à dire sur le choix de cet établissement et vous pourrez le voir régulièrement. Disons simplement que les horaires de visites seront… moins souples qu'aux Mésanges.

Edmond a paru soulagé. Il a repris son verre, essuyé ses lèvres à la serviette brodée à ses initiales avant de boire et après : le plus déchirant se loge dans les détails. Le cœur serré, Nils regardait le visage taché de brun de son grand-père, ses mains aux veines saillantes ; irait-il avec Delphine, conduits par Pierre, visiter Alexander chaque jour, chaque heure autorisée comme ils l'avaient fait pour lui ?

Jusqu'à ce que l'un, puis l'autre, s'en aillent… Edmond, soixante-quinze ans, Delphine, soixante et onze. Alexander, dix-huit !

La pendule a sonné un coup, une heure de l'après-midi. Du royaume de Jeanne s'échappaient de chaudes odeurs de cuisine. Cuisine, lieu de nostalgie, de confidences, de rencontres, il se souvenait de chaque parole de Jeanne cet autre après-midi-là, qui, il l'ignorait, déciderait de son avenir. Dans la maison où Alexander serait placé, il n'y aurait pas de cuisine-refuge, pas de lieu d'échange où regarder se faire du bon, du beau.

— À présent, pourrions-nous parler de Monique ?

a repris Edmond d'une voix raffermie. Ma fille complice d'un crime, mentant à la justice, condamnant sans pitié un innocent ; à mes yeux la plus coupable. Que risque-t-elle ?

Et, à l'instant où Gabrielle s'apprête à répondre, le bruit des roues d'une voiture dispersant le gravier monte dans la cour. Elle s'arrête en bas du perron, des portières claquent.

Tous trois se sont levés. « Delphine », murmure Edmond. Dans le hall, retentit un cri pathétique, un appel, une supplication.

— Papa !

Monique apparaît.

3
Nils

Vis-à-vis de sa tante, Nils avait éprouvé toutes sortes de sentiments, hormis de l'affection. À son arrivée au château, apprenant sa triste vie, la compassion, très vite mêlée de méfiance, répondant à celle que Monique lui manifestait, comme si elle voyait dans sa venue une menace pour son fils. Méfiance se transformant en franche hostilité lorsqu'elle avait constaté l'attirance que Nils exerçait sur son cousin handicapé : « Nis » qui, comme lui, n'allait pas à l'école, « Nis » qui lui parlait même s'il gardait les yeux sur ses pieds, « Nis » qui avait construit une cabane dont, à la surprise de tous, Alexander s'était fait un second refuge, en plus de la forteresse de sa chambre.

Le jour du drame, face au déclenchement de haine de Monique, ses accusations de viol, c'était l'incompréhension, l'incrédulité, qui l'avaient laminé, anéanti. Pas encore la colère, il la croyait sincère. Très vite, après la lettre de Philippine, pensant avoir découvert le nom du coupable, constatant qu'elle n'avait pas hésité à le désigner pour sauver son fils, il avait ressenti de la haine, un désir de vengeance, qui l'avaient conduit, il y a peu, à la tentation de frapper, répondre au silence obstiné de sa tante par des coups.

Et, comme elle apparaît au seuil du salon, soutenue par Pierre et Delphine, face à son visage blême, marqué par une large ecchymose, son poignet gauche plâtré et, dépassant de la jupe – oui, le plus déchirant se loge dans les détails –, la chemise de nuit qu'elle n'a pas pris le temps de retirer tant grande était sa hâte de voler au secours d'Alexander, pour la première fois, mêlée au dégoût, Nils éprouve de la pitié.

« Jamais », a-t-elle juré.

Eh bien si : aujourd'hui !

Les découvrant, Gabrielle et lui, un nouveau cri échappe à Monique.

— Que font-ils là ?

Edmond s'est précipité. Il a pris la place de Pierre qui s'est discrètement éclipsé, il tente d'entraîner sa fille vers le canapé.

— Viens t'asseoir un moment, tu dois être épuisée.

De toutes ses forces, elle résiste. Dans les yeux de Delphine, fixés sur lui, Nils peut lire une interrogation angoissée ; il arrive que les femmes, les mères, pressentent l'épreuve qui attend leur enfant. Elle entoure d'un bras protecteur les épaules de Monique : « Viens, ma chérie, je t'en prie », et Monique obéit.

À présent, le père et la mère entourent la fille dans le canapé, Nils et Gabrielle leur font face, au bord de leur fauteuil.

— Veux-tu boire quelque chose ? propose Edmond d'une voix douce – lui aussi pris de pitié ? Regarde, Jeanne a préparé du jus de fruits pour toi.

La réponse fuse :

— Pas tant qu'ils seront là.

— Monique, il faut que nous parlions…

— Et de quoi ?

— De la visite de Nils et de Philippine aux Mésanges, et de ce qu'ils ont découvert.

— Moi aussi, j'y ai découvert quelque chose !

Monique plonge sa main valide dans la poche de sa jupe, en tire la photo froissée, la brandit.

— Mme Alvarez m'avait promis de la détruire, elle a menti ! fulmine-t-elle sans se rendre compte qu'elle se trahit. Je l'ai trouvée dans la chambre d'Alexander.

Nils frémit : cette photo, à la source de la preuve tant recherchée, tant espérée, Gabrielle et Edmond en connaissent l'existence, pas Delphine. Sa grand-mère ignore encore tout et, découvrant la photo, son regard inquiet va de Nils à son mari : qu'est-ce que tout cela signifie ?

Gabrielle et Nils se taisent. C'est à Edmond qu'il revient de décider s'il préfère en rester là pour l'instant, préparer son épouse au choc, permettre à Monique de se calmer un peu.

Il décide.

— C'est pour montrer cette photo à Alexander que Nils et Philippine sont allés ce matin aux Mésanges. La vue de Maria a mis Alexander en fureur, il a sorti de son château fort un… un objet qu'il y cachait.

Monique hausse les épaules.

— Il y cache n'importe quoi !

— Ce n'était pas n'importe quoi, Monique.

Et soudain, devant l'horreur de ce qu'il s'apprête à révéler, pour la première fois Edmond hésite, ses lèvres tremblent, il se passe la main sur le front.

— Parle ! Va jusqu'au bout, mon chéri, ordonne Delphine d'une voix ferme.

— La boucle d'oreille, arrachée à Maria.

Delphine a fermé les yeux. D'abord pétrifiée, Monique se lève, bouscule son père, se plante devant Nils, accuse :

— C'est lui ! Lui qui l'a arrachée à Maria, lui qui l'a mise ce matin dans le château fort. Depuis le début, il cherche à faire porter le chapeau à Alexander, ah ! ah !

Le rire est atroce, sauvage. Elle n'a pas eu un mot de pitié pour la petite victime, pas une pensée.

— Les analyses ADN le diront, intervient froidement Gabrielle.

— Quelles analyses ? aboie Monique.

— Celles du laboratoire qui relèvera les empreintes sur ce qu'il reste du lobe de l'oreille de Maria, ainsi que sur le diamant où apparaît un peu de sang.

— Je veux le voir ! hurle Monique. Qui me dit que vous ne me mentez pas ?

Sans hésiter, calmement, Gabrielle a repris dans son sac le sachet en plastique contenant le mouchoir. Edmond s'est levé et il s'est posté derrière sa fille, prêt à intervenir. Gabrielle a sorti le mouchoir du sachet et elle l'a déplié. Lorsque Monique a tenté de bondir, Edmond l'a retenue.

Les yeux de Delphine étaient emplis de larmes. La preuve avait déjà regagné le sac de l'avocate.

— Alexander ne sera pas tenu pour responsable de son acte, il n'ira pas en prison, pas une seule journée, a promis Edmond en essayant en vain de ramener Monique vers le canapé. Il sera défendu par le meilleur des avocats en la matière, placé avant et après le procès dans un établissement psychiatrique où nous pourrons aller le voir, je t'en donne ma parole.

Monique s'est dégagée de la poigne de son père. Comment pouvait-elle avoir une telle force après ce qu'elle avait subi ? Elle a regardé sa mère, elle a regardé Gabrielle, elle n'a pas regardé Nils, elle a tendu la main droite devant elle comme si elle prêtait serment, et elle a déclaré :

— Alexander restera aux Mésanges, c'est moi qui ai étouffé Maria, je le jure.

4

Monique

Ce vendredi-là, premier jour de l'été, grosse chaleur, Monique a décidé de ne pas quitter la maison. Alexander et elle ont mal dormi, pas une once de fraîcheur malgré les fenêtres ouvertes, celle d'Alexander munie d'un garde-fou pour lui éviter de tomber au cas où il se pencherait, où lui viendrait l'idée de s'échapper ?

Dans son réfrigérateur-congélateur, elle a de quoi tenir un siège : la prévoyance, ça la connaît, aucun problème pour les repas d'une fin de semaine que la météo a annoncée torride.

Après un petit déjeuner commun, fait de lait, de céréales et de jus de fruits, pris à la cuisine, elle a aidé son fils à faire sa toilette, puis à revêtir un short et un t-shirt léger, avant de feuilleter avec lui une bande dessinée. Celles qu'il préfère représentent des animaux, ours bien sûr, mais aussi oiseaux. Il les caresse de ses doigts malhabiles, il lui arrive de leur parler, ce qu'il ne fait jamais qu'avec elle, sa mère, comme si eux seuls pouvaient le comprendre.

Puis elle-même a pris sa douche et s'est habillée, le laissant dans sa chambre emplie de ses « trésors », un vieux château fort, quelques jouets démantibulés, d'anciens livres d'images, un ballon, trésors auxquels il est interdit à Monique de toucher. Si, par malheur, elle en déplace un, ne serait-ce que de quelques centimètres, il s'en aperçoit et pique une colère, aussi se contente-t-elle d'y passer en catimini quelques coups de plumeau ; tant pis pour la poussière.

Combien de temps s'est-elle accordé, a-t-elle relâché sa surveillance ? Un quart d'heure tout au plus. Lorsqu'elle est ressortie de sa chambre, Alexander n'était plus dans la sienne, pas davantage en bas.

Elle a tout de suite su où il était allé, dans cette foutue cabane récemment construite avec la bénédiction d'Edmond où, plus ça allait, plus Alexander semblait se plaire… à son grand déplaisir à elle.

Et il s'y trouvait bien, vautré dans les coussins, jouant avec son ours.

Elle a eu du mal à le convaincre de rentrer. Il y a laissé Baloo pour lui garder sa place. Elle s'est promis de venir le rechercher. Elle a oublié.

Ils ont déjeuné à midi. Alexander est plutôt vorace. En dehors des quelques promenades qu'ils font ensemble dans le parc, il ne pratique pas d'exercice, le médecin recommande de surveiller son poids. Pour l'y encourager, elle s'est mise au même régime que lui : légumes, poisson, fruits. À chaque repas, c'est la guerre, le priver en plus de sucreries ? Impossible. Elle fait de son mieux, n'a-t-elle pas, depuis toujours, fait de son mieux pour lui ?

Après le déjeuner, selon un rituel qui le rassure, ils ont choisi ensemble un DVD qu'elle a glissé dans le lecteur de la télé, il s'est étendu dans le canapé et elle a mis le film – un Walt Disney – en marche. Le plus souvent, aidé par un léger calmant, il sommeille devant les images. Monique attend avec impatience ce moment où elle-même peut se détendre un peu.

Elle est montée dans sa chambre où elle a trié quelques papiers avant de s'étendre sur son lit. S'est-elle assoupie ? Des grognements mêlés de cris dans la cuisine l'y ont précipitée, la porte donnant sur le petit bois était grande ouverte, comment avait-elle pu oublier de la fermer à clé ? Et son calmant, le lui avait-elle bien donné ? Son ours contre lui, Alexander tournait en rond, frappant les objets du pied, mains et short tachés de sang, répétant des mots qui l'ont terrifiée : « méchante », « punie ».

Tout de suite, le nom de Maria lui est venu à l'esprit, la petite qui n'en faisait qu'à sa guise, elle aussi visiteuse assidue de la cabane. Elle a obligé son fils à monter dans sa chambre, l'y a bouclé, y a couru. Par bonheur, elle n'a croisé personne.

Maria était bien là, au milieu des coussins épars, pleurant, criant, son ventre nu, rougi…

Alexander est un homme. En dépit des médicaments, il a de fréquentes érections. Alexander se touche, Monique le constate sur le drap de son lit. L'évidence l'a foudroyée : Alexander avait violé Maria.

À présent, la gamine hurlait son nom, elle allait le dénoncer, il lui serait enlevé, jeté en prison, elle devait la faire taire, elle a appuyé un coussin sur son visage.

Monique s'est interrompue pour reprendre souffle. Elle avait parlé debout, d'une seule traite, glacée, glaçante, regardant au loin comme on regarde la fatalité, comme on rend compte d'un destin, vacillant parfois, se retenant au dossier d'un fauteuil, Edmond pétrifié derrière elle.

Elle a repris sur le même ton.

Rentrée chez elle, elle déshabille Alexander, le passe à la douche, le rééquipe de propre, l'aide à redescendre au salon, glisse plusieurs comprimés dans sa bouche, y ajoute un somnifère, lui rend son ours sans remarquer qu'il a perdu un œil. Elle doit faire vite, la vie de son fils, leur vie, dépend de chacun de ses gestes. Vite, elle remet le DVD en marche, vite, elle rassemble les vêtements souillés, y ajoute les tongs, fait partir une machine à laver.

Lorsqu'elle revient au salon, il ronfle déjà, étalé dans le canapé.

Elle doit à présent trouver quelqu'un pour témoigner qu'il dormait lorsque Maria sera découverte et le viol constaté. Elle a vu Béatrix rentrer du marché, pas le genre à refuser de rendre un service. Monique détruit la prise du mixeur, préparé sur le plan de travail pour le gaspacho programmé au menu du soir, et appelle sa belle-sœur : accepterait-elle de lui prêter le sien ?

Quelques minutes plus tard, Béatrix sonne à sa porte.

Sa voix a tourné à l'orage, les éclairs de la haine ont fait fondre la glace. Oui, lorsqu'elle a vu l'autre, le chouchou du château, se rendre à la cabane alors qu'elle préparait le café, elle a trouvé son coupable ! Et, coupable, il l'était bien. Si Roselyne n'avait pas été faire la pute à Amsterdam, si Edmond n'était pas allé chercher son petit-fils là-bas, s'il ne s'était pas entiché de lui comme une partie de la famille, s'il ne lui avait pas permis de construire la cabane, rien ne serait arrivé.

Elle a pointé le doigt vers l'avocate ; et que cette hypocrite aux beaux discours n'aille pas imaginer qu'elle s'accusait pour sauver son fils. Si elle avait su qu'Alexander avait arraché son diamant à Maria, lui aurait-elle laissé le temps de le cacher dans son château fort tandis qu'elle allait accomplir son devoir de mère ? Elle l'aurait détruit, brûlé comme le reste de la baraque. La boucle d'oreille trouvée ce matin par l'autre était la preuve que c'était elle, pas son fils, pas mon fils, pas mon Alexander, qui avait agi.

« L'autre. » Pas une seule fois elle n'avait prononcé le nom haï.

À la pendule, deux coups ont sonné, elle s'est figée, deux heures déjà ? Son regard égaré s'est tourné vers son père, elle allait être en retard aux Mésanges, et c'est vrai, avec son bras plâtré, elle ne pouvait pas conduire.

« Papa, s'il te plaît, peux-tu demander à Pierre de m'y accompagner ? Alexander m'attend. »

5

Fine

Louis-Adrien dit souvent que, dans la famille, on est tous atteints par la même maladie, la « réunionite », obligatoirement pratiquée dans le grand salon du château, présidée par nos aïeux dans leurs cadres dorés, et parfois on les entend en effet murmurer en nous écoutant.

Il y a les réunions champagne, « jouez hautbois, résonnez musettes » : fiançailles, mariages, baptêmes, succès aux examens, décorations, on prend tout ! Depuis quelque temps, on avait connu les réunions catastrophe, cris retenus dans les poitrines, « sanglots lents des violons », toutes tournant autour d'un prénom de conte pour enfants et ados, ce que Nils était d'une certaine façon, il y a trois ans, en débarquant chez nous. La toute dernière réunion – ni champagne ni sanglots – datait d'avant les vacances, quand grand-père avait annoncé, le bonheur dans la gorge, la libération de Nils en septembre, bonheur mis à mal par tante Monique. Déjà !

C'est grand-mère qui, dans l'après-midi de ce samedi noir, s'est chargée d'appeler maman et tante Béatrix pour demander à ce que tout le monde soit présent au salon à dix-huit heures précises. « Dix-huit heures » plutôt que six heures du soir, ça sonnait sérieux ! Grand-mère a ajouté que tante Monique, victime d'un léger accident de voiture, n'y assisterait pas ; elle était hébergée au château et ne souhaitait recevoir aucune visite… et elle a vite raccroché.

« Ça devait arriver, a soupiré maman. J'espère que ce sera une leçon et que Monique acceptera enfin de changer de voiture ! »

J'ai filé pour ne pas avoir à mentir par omission : ce n'était ni le grand âge de sa voiture ni la chaussée rendue glissante par la pluie qui avaient causé l'accident…

Quoi qu'il en soit, avant la « réunion de dix-huit heures », on en a vu, Philippine et moi, de toutes les couleurs.

Après que Nils était rentré au château avec grand-père, la preuve dans sa poche, on avait commencé à galérer : allait-il la lui montrer ? Pauvre grand-père qui ne se doutait de rien ! Pauvre Nils, si soucieux de ne pas le blesser à cause de son âge, et sans doute parce que ça ne faisait pas longtemps qu'il en profitait.

Gabrielle est arrivée vers midi sur sa moto. On s'est précipitées pour l'avertir des derniers événements. Elle a soupiré : « Voilà qui ne risque pas de faciliter les choses, je vous tiens au courant » et elle a grimpé quatre à quatre les marches du perron. Jeanne lui a ouvert.

À midi et demi, Pierre a arrêté la voiture devant les marches. Grand-mère et tante Monique en sont sorties, tante Monique le poignet gauche plâtré, un cocard sur la joue, sa chemise de nuit dépassant de sa jupe, l'air d'une folle. Quand Pierre et grand-mère ont voulu l'aider à monter, elle a crié : « Mais laissez-moi, laissez-moi, je n'ai pas cinq ans ! », et ça nous a fait pitié, avec en plus ce qui l'attendait là-haut !

« Pas cinq ans : cent ! » a grogné Philippine.

Aucun n'était près de ressortir, alors j'ai couru à la maison avertir mes parents que je ne déjeunerai pas là : pique-nique chez ma « jumelle ».

Ils plantaient le sapin dans le bac de l'année dernière, maman le tenait bien droit tandis que papa tassait la terre en évitant d'en mettre partout, ce qui n'était pas gagné.

« D'accord, a dit maman entre les branches. Servez-vous dans le frigo. »

Papa m'a fait ses yeux de martyr, j'ai promis d'être là demain pour le sacro-saint déjeuner du dimanche et, de nouveau, je me suis enfuie.

On a préféré se servir dans le congélateur de tante Béatrix, croque-monsieur, un coup au micro-ondes, le temps de préparer salade et boissons et on est montées dans la chambre de Philippine, vue sur la cour, où on a grignoté devant la fenêtre ouverte.

La pluie avait cessé de tomber mais aucun espoir d'éclaircie, un ciel bas, gris et lourd, à l'image de ces chagrins que l'on appelle des « bourdons », comme ces bourdons qui résonnent aux clochers des églises lors des enterrements.

Trois heures ! Ça en faisait plus de deux que la porte du château restait fermée, on n'en pouvait plus d'attendre, on serait bien allées prendre des nouvelles du côté de Jeanne, mais on n'osait pas à cause de la photo qui avait déclenché la tempête au lieu de permettre à Nils de replanter. Que dirait-elle quand elle saurait ?

Vers trois heures et demie, la porte s'est enfin ouverte, grand-père, Gabrielle et Nils sont sortis, le temps qu'on descende, Nils avait disparu chez lui, grand-père a raccompagné Gabrielle jusqu'à sa moto, ils ont discuté un moment, il m'a semblé la voir l'embrasser, puis elle a coiffé son casque et elle s'est envolée.

Lui revenait vers le château, tout courbé, le visage encore plus ravagé que ce matin. Quand il nous a vues, il s'est redressé et il a mis un doigt sur ses lèvres. On n'a pas osé insister. Il a disparu dans le vestibule.

C'est presque tout de suite après que grand-mère a appelé maman : « Réunion à dix-huit heures. »

Et pour Nils, on faisait quoi ? Apparemment, lui non plus n'avait pas envie de nous voir ! On frappait quand même à sa porte ? On insistait ? On s'imposait ? Philippine était pour, moi contre. On discutait quand mon portable a vibré dans ma poche, c'était lui, un SMS.

« Pardon, ma Fine, besoin d'être seul, plus tard… »

Philippine a lu par-dessus mon épaule.

« Il y a des "plus tard" qui veulent dire "au secours". Moi, j'y serais déjà. C'est toute la différence entre nous. »

Je n'ai pas bougé.

Vers cinq heures, pardon, dix-sept heures, une petite voiture électrique s'est arrêtée devant la grille, pas besoin de klaxonner, le colonel lui avait déjà ouvert : il l'attendait.

Il l'a guidée jusqu'au tarmac, une femme aux cheveux gris, doudoune assortie, souliers lacés, est sortie de la voiture. Elle a tiré du coffre une grosse sacoche en cuir et un sac de voyage. Le colonel s'est emparé du sac, elle a gardé la sacoche, et ils ont marché en silence jusqu'au château. C'était clair : une garde-malade pour tante Monique, elle savait tout, elle était mal !

Dernière arrivée, à dix-sept heures quarante-cinq, Caroline, la baby-sitter d'Aurore. Elle est étudiante en droit, première année, elle aime bien venir chez nous, l'ambiance lui plaît et ça lui fait gagner des sous.

Elle nous a souri.

— Salut, les jumelles, ça va bien ?

On a répondu :

— Très bien, merci, et toi ?

Un quart d'heure plus tard, tout le monde était au salon.

6

Fine

Le grand lustre est allumé, les guirlandes de Noël éteintes, la pendule a été repoussée au bout de la cheminée pour laisser place à la crèche. Pas de feu, pas de flamme, pas de joie : réunion « cris et sanglots » ?

Sauf Monique, tout le monde est là.

Grand-père et grand-mère entourent Nils dans le canapé. Grand-père, droit comme un I, chemise claire, même cravate rouge-épingle flamme que ce matin, blazer. Grand-mère, plus poudrée que d'habitude, surtout sous les yeux.

Nils s'est changé, pull beige à col roulé sur un pantalon de la même couleur, souliers.

Mes parents se sont assis l'un près de l'autre, le bras de papa posé sur le dossier du fauteuil de maman. Benjamin a rejoint Louis-Adrien un peu à l'écart, la famille de Baudoin forme bloc. Agnès nous a fait signe de venir près d'elle, on a honte de lui avoir caché notre équipée aux Mésanges. Nous en voudra-t-elle ?

Jeanne vient de prendre place près de la porte, comme d'habitude. Elle a retiré son tablier et mis ses chaussures. Va-t-elle apprendre que c'est grâce à la photo qu'on est tous réunis ici ce soir ? « Grâce » ?

— Merci d'avoir, comme toujours, répondu à l'appel, commence grand-père d'une voix qui tremble un peu malgré ses efforts. Ce que j'ai à vous apprendre est grave et douloureux. Je ne vous cacherai pas que Delphine et moi en sommes bouleversés.

Grand-père s'avouant bouleversé ? Déjà la gorge me brûle. Je fixe mon tableau préféré : elle s'appelle Louise, elle a trente-cinq ans, un chignon brun très haut et un nœud rose autour du cou. Il paraît qu'elle était coquette. Aide-moi, Louise.

À présent, grand-père s'est tourné vers Nils. Il pose sa main sur son épaule puis son regard revient vers nous.

— Comme vous le savez, j'ai toujours cru à l'innocence de Nils. Nous en avons désormais la preuve. Il l'a trouvée lui-même ce matin en rendant visite à Alexander, qu'il soupçonnait depuis quelque temps d'avoir… agressé Maria. Il s'interrompt quelques secondes. La boucle d'oreille de la pauvre petite, qu'il avait cachée dans son château fort après la lui avoir arrachée, probablement pour la punir d'avoir joué avec son ours.

Un silence horrifié s'abat sur le salon. Les regards incrédules de ceux qui ne savaient rien, ne se doutaient de rien, interrogent grand-père : « Est-ce possible ? » J'ai baissé le mien pour ne pas rencontrer celui de maman.

Grand-mère serre son mouchoir dans sa main.

— Nous avons eu, cet après-midi, en présence de l'avocate de Nils, les aveux détaillés, indiscutables de celle qui, persuadée que son fils avait violé Maria, a étouffé la pauvre enfant pour empêcher de le dénoncer : Monique, a poursuivi grand-père. Avant de désigner coupable un innocent.

Monique ? La main de Philippine agrippe mon poignet. Monique, bien sûr ! On aurait dû le deviner. Nils a baissé les yeux ; il n'y a pas de triomphe possible.

Puis, d'une voix calme, précise, grand-père a tout repris depuis le début : la lettre de Philippine éveillant les soupçons de Nils, l'enquête de Gabrielle les confirmant, leur décision de ne rien dire, faute de preuve irréfutable, le calvaire de la prison. Enfin, une ancienne photo représentant Maria, montrée ce matin par Nils et Philippine à Alexander, aux Mésanges, déclenchant sa rage, le menant à extirper la boucle d'oreille cachée dans son château fort. Puis l'arrivée précipitée de Monique, avertie par une infirmière de la présence de ses neveux auprès du patient, son accident comme elle en revenait. Ses aveux.

De nouveau, il a posé la main sur l'épaule de Nils, Nils immobile, statufié, déchiré par l'épreuve que sa découverte infligeait à la famille ?

— Qui pourrait lui en vouloir d'avoir contribué à ce que justice soit faite ?

Grand-mère a approuvé fermement. Il s'est tourné vers nous.

— Des questions ?

Oncle Baudoin a parlé le premier et ça n'a étonné personne, le fils aîné. Et maman dit souvent que, en cas de crise, c'est un excellent gestionnaire.

— Si j'ai bien compris, père, ma sœur se trouve actuellement ici ?

— Dans une chambre près de la nôtre, au premier, a

répondu grand-père. Le médecin l'a mise sous sédatifs, elle est veillée par une garde-malade et y restera tout le temps qu'il faudra.

— C'est-à-dire ?

— Jusqu'au procès en révision à l'issue duquel l'innocence de Nils devrait être reconnue par la justice. Nous en avons longuement parlé avec Gabrielle Darcet que vous connaissez et appréciez, je crois. Selon elle, la maladie d'Alexander, son irresponsabilité ajoutée à la grande faiblesse psychologique de Monique pourraient leur valoir une certaine indulgence du jury. Le moment venu, elle nous indiquera un confrère spécialisé dans ce genre de cas douloureux.

— Le moment venu ? a insisté oncle Baudoin.

— Nils a eu la générosité d'accepter que le juge d'instruction ne soit informé des nouveaux faits qu'après les fêtes, si ce mot a encore un sens ici aujourd'hui. Cela laissera à son avocate le temps de rassembler tous les éléments du dossier pour son confrère, et à nous celui de nous préparer à traverser de nouveau des moments difficiles. En attendant, je vous demanderai à tous la plus grande discrétion.

Maman a levé le doigt comme une petite fille. Elle a demandé d'une voix frémissante :

— Est-ce que Monique pourra rendre visite à Alexander ?

— Il n'en est pas question ! a tranché grand-père. Sachant ce dont elle s'est rendue coupable, comment pourrions-nous la laisser sortir d'ici ? Un relais sera assuré auprès d'elle jour et nuit au cas où il lui en viendrait l'idée. J'ajouterai que, pour l'instant, elle n'en aurait pas la force.

— Mais c'est impossible ! Quoi qu'il ait fait, on

ne peut pas laisser Alexander sans visite, ce serait trop cruel ! s'est exclamée maman et, pour la première fois, papa a souri.

— Nous sommes entièrement d'accord, a acquiescé grand-père. Si tu veux, nous pourrons aller le voir ensemble dès demain. Et si d'autres ici s'en sentent le courage, nous leur en serons reconnaissants.

— OUI ! a approuvé fortement tante Béatrix à la stupéfaction générale, et cette fois, c'est Philippine qui a souri, les yeux brillants : « Chapeau, maman » ?

Jeanne avait disparu. Grand-père nous a invités à passer à la salle à manger où des rafraîchissements nous attendaient. C'est là que Louis-Adrien nous a bluffés à son tour.

Lui qui, pour se défendre des méchantes langues lorsque Nils avait été condamné, avait parlé de l'erreur judiciaire du siècle, jurant qu'un jour le nom des Saint Junien serait blanchi – et, de ce côté-là, on était plutôt mal partis –, a sauté sur ses pieds. Il a couru brancher la prise du sapin qui s'est enflammé, guirlandes, boules, étoile d'or au sommet.

— Il me semble avoir entendu parler de fête, non ? a-t-il lancé.

Tante Béatrix, le courage.

Louis-Adrien, le panache.

7

Fine

À propos d'étoile, je me demande si certains ne naissent pas sous celle du bonheur, comme Paulin malgré son handicap, et d'autres sous l'astre noir du malheur, il y a de tout dans le ciel.

Petite fille, Monique était-elle déjà différente de sa sœur, Roselyne la rebelle, avide de vivre quoi qu'il lui en coûte ? Différente de maman, d'après grand-mère, généreuse et gaie, la seule qui s'en soit bien tirée, finalement.

Monique était-elle déjà du genre méfiant, râleur, envieux ? Se considérait-elle comme persécutée ? Lorsque Alexander était né et que sa maladie avait été décelée, avait-elle soupiré : « Bien sûr, ça devait m'arriver ! » ? Quand son mari s'était enfui pour ne pas mourir asphyxié, n'avait-elle pas été, d'une certaine façon, satisfaite dans son attente ?

Et si c'était elle qui, par son attitude envers les autres, avait dressé les barreaux de sa propre prison, sa solitude ?

En attendant, prisonnière, elle le serait bientôt pour de vrai.

*

— Pourquoi tu ne nous as rien dit puisque tu savais, râle Benjamin.

Huit heures passées, on est tous les quatre devant la cheminée où papa a fait partir une flambée, moi sur ma petite chaise de feu. Le sapin, dix fois moins haut que celui du château, attend ses guirlandes, l'ourson râpé que j'ajouterai en douce à l'une de ses branches et qui fera rigoler tout le monde. Ça fait du bien d'être rentrée chez soi.

— Parce que j'avais juré de garder le secret.

— Et à qui tu l'avais juré ?

— À Nils d'abord, à Philippine bien sûr, et à Agnès. Mais pour Monique, on ne savait pas. On pensait qu'elle était seulement complice, pas qu'elle avait étouffé Maria, ça, on l'a appris ce soir, en même temps que toi. Et le reste de la famille.

— Dire qu'on vivait à côté d'une assassine ! grogne Benjamin.

Je corrige :

— Plutôt une foldingue – emprunt à Philippine.

— N'empêche, ça a dû être lourd à porter, ma Finette ! compatit maman.

Ma gorge se serre. Quand on m'entend, quand on me plaint, me manifeste de l'amour, ça me fait chaque fois le même coup : envie de pleurer de reconnaissance, comme si, au fond de moi, je n'étais pas sûre de mériter d'être aimée. Et qu'attend papa pour ramener un peu de légèreté dans l'atmosphère, sa prétendue spécialité ? Rien à dire devant le pire du pire ?

Je me tourne vers lui.

— Tu en penses quoi, toi, papa : foldingue, Monique ?

— Rien ne peut excuser le meurtre d'une petite fille, même commis par une mère désaxée, même pour sauver son fils handicapé, tranche-t-il.

— Tu as raison, mon Gilles, acquiesce maman d'une pauvre voix, mais c'est ma sœur, tout de même… Si seulement elle avait accepté plus tôt de placer Alexander dans une institution, comme l'en suppliait mon père. Même avec l'indulgence du jury, que sera désormais sa vie ?

— Et nous, est-ce qu'on va repasser à la télévision et tout comme pour Nils ? s'alarme Benjamin.

— Et tout ! confirme papa. Mais, grâce à ton cousin, pas avant les fêtes. Et vous savez quoi ? Demain, on décore le sapin, on l'allume et on ne l'éteint plus ! Au diable les économies de joie, Louis-Adrien a raison : Noël doit rester Noël.

— À propos de Louis-Adrien, vous ne deviez pas sortir ensemble ce soir, mon Benj ? demande maman. Une boum ?

Benjamin soupire, accablé.

— Maman… on ne dit plus une « boum », on dit une « soirée » ! Soirée dansante ou soirée posée, et ce soir, c'est une soirée posée ; on va écouter de la musique et discuter.

Il regarde sa montre, se lève.

— Je dois passer le chercher. Je monte me changer et j'y vais.

— Et nous, on passera une soirée « posée » avec notre fille préférée, conclut papa.

*

« Posée » ? Ça n'a pas été vraiment le cas.

Depuis quand ma colère montait-elle contre moi, mes larmes trop faciles, ma lâcheté ?

« Il y a des “plus tard” qui veulent dire “au secours” », avait déclaré Philippine après le SMS de Nils… que j'avais lu et relu dix fois sans oser y répondre, bravo !

Et le « OUI » claironnant de tante Béatrix pour les visites à Alexander !

Et Louis-Adrien illuminant le sapin !

Moi, incapable d'oser ?

J'ai attendu que Benjamin ait claqué la porte et j'y suis allée.

— Il y a autre chose que je vous ai caché, est-ce qu'on peut en parler ?

— Nous t'écoutons, a répondu maman.

Et là, c'était beaucoup plus simple que pour tante Monique et Alexander, ça tenait en deux mots : « J'aime Nils » ; après l'avoir dit, j'ai quand même fermé les yeux pour ne pas voir le nouveau désastre dans ceux de mes parents.

— Comment as-tu pu imaginer un seul instant que nous ne l'avions pas deviné ? a répondu la voix calme de papa.

J'ai rouvert les yeux.

Incroyable, ils souriaient ! Bon, pas un sourire radieux, mais un sourire quand même.

— Ça aussi, ça a dû être lourd à porter, a remarqué maman. En plus de ce que nous venons d'apprendre. Si nous avions su, nous aurions pris les devants.

J'ai tourné ma chaise vers eux, j'ai pris les devants de leurs questions et je leur ai tout balancé d'un coup : oui, j'aime Nils depuis le jour de son arrivée au château, je n'ai jamais réussi à le considérer comme un cousin, j'ai espéré que ça passerait, ça n'a fait qu'empirer, quand il était en prison, je dormais chaque nuit avec lui en regardant les aiguilles lumineuses de sa montre, le jour où il a été libéré, j'en avais mal au ventre de bonheur, c'est à cause de lui que les soirées, dansantes ou pas, ne m'ont jamais intéressée, ni les garçons autrement que comme des copains. Et ne croyez pas que vous n'y êtes pour rien avec vos « le bon, le seul, l'unique », ça finit par contaminer, j'ai fini par le trouver, c'est lui, c'est Nils, voilà !

Je me suis tue. C'était donc si facile, la vérité, une fois le premier pas franchi, le premier sourire en retour ? Même plus besoin de courage : un soulagement, une délivrance. Et comme une sombre volupté à piétiner ses silences, allez, du balai les mensonges !

— Pouvons-nous savoir quelles sont vos intentions ? a demandé papa gravissimo.

Et là, adieu volupté ! Muette, paralysée, la « fille préférée » ! Dans ma grande envolée, j'avais juste oublié un détail : le principal intéressé, « le bon, le seul, l'unique », n'était pas au courant de mes intentions. Trop la frousse qu'avec sa hantise de blesser grand-père le « cousin germain » ne soit pour lui un obstacle infranchissable. Et puis, pour faire sa déclaration d'amour, il faut trouver le moment adéquat, n'est-ce pas ? Et pourquoi, cette déclaration, était-ce obligatoirement à moi de la faire ?

— Nos... intentions ? Vous avez pensé au choc pour grand-père ? ai-je bredouillé, sans compter grand-mère. Et en plus, avec tout ce qui leur est tombé sur le dos aujourd'hui, et...

— Crois-tu vraiment que vos sentiments l'un pour

l'autre soient une surprise pour eux ? m'a interrogée maman.

Alors, eux aussi se doutaient ? Et pourquoi pas Agnès, la fine mouche ? Et si Agnès, tante Béatrix, bien sûr. Qui d'autre ? Toute la famille au parfum sauf Nils ? À la peur, la lâcheté, j'avais ajouté l'aveuglement.

Ma colère est remontée, cette fois contre eux, leur silence. Et puis cette famille…

— Grande réunion secrète ? Sujet : « amour entre cousins germains » ? Pas de petit souci de ce côté-là ?

— Il n'y a eu aucune réunion, est intervenu papa. Ta grand-mère s'est seulement inquiétée de la situation auprès de ta mère.

— Inquiétée, tu vois !

— Elle n'est pas sans problèmes, en effet. Mais outre que nous avons tous une grande affection pour Nils, il nous a semblé qu'intervenir ne changerait pas la donne et qu'il était préférable de vous laisser nous en parler en premier.

— Ce que tu viens de faire, ma chérie, a constaté tendrement maman.

— De toute façon, il ne s'est encore rien passé entre nous !

Pourquoi ai-je lancé ça ? Sitôt dit, sitôt regretté. Une reculade, un nouvel acte de lâcheté. Pour les rassurer ? En revenir à ma fameuse « vérité vraie » ? Sauver la « profonde affection » de la famille pour Nils et les sapins de Noël clignotant de joie ?

Leur double soupir de soulagement ne m'a pas échappé.

— Un conseil, s'est précipité papa. Nils n'a que vingt et un ans, toi pas encore dix-huit, prenez le temps de vous connaître mieux, de bien savoir où vous allez.

— Mais on le sait, on le veut, je viens de vous le dire, ai-je protesté lamentablement.

— Alors, nous ne te demanderons qu'une seule chose, ma Fine : le moment venu, protégez-vous, a conclu maman.

*

Il était presque dix heures quand on s'est mis à table pour dîner, quelle journée ! Maman avait fait mon entrée préférée : avocat-crevettes, sauce cocktail. Pourquoi pas du champagne ? À défaut, papa a ouvert une bouteille de vin blanc ; on ne connaît jamais tout à fait ses parents.

Et parfois, sans le savoir, ils peuvent, par leurs sourires, vous dire que, même du « pire du pire », il n'y a qu'un pas vers l'espoir.

8

Fine

— Si j'ai bien compris, toi, pour que tu te décides à parler, il te faut un tremblement de terre. Merci, Monique !

— Pauvre Monique.

— Pauvre Monique, pauvre Alexander, pauvre grand-père… Quand arrêteras-tu de pleurer sur tout le monde ? s'irrite Philippine. Pourquoi pas « heureux Nils » dont le casier va redevenir vierge ?

— Vierge… c'est bien là aussi le problème.

Elle écarquille les yeux, j'en rajoute avec un soupir à fendre le cœur d'une jumelle :

—… vierge et martyre…

Elle se décide à rire :

— Toi, alors !

Eh bien oui, moi, capable – merci, papa – de mélanger rire et larmes alors que, avec une mère claquemurée dans la tour d'ivoire de ses sentiments, Philippine n'a jamais su.

On est dimanche, lendemain de tremblement de terre. Après la messe, le déjeuner à la maison et la déco du sapin – chut ! sur Nils devant Benjamin –, j'ai envoyé un SMS-SOS à Philippine. Elle, elle sait comprendre quand c'est urgent.

Dix minutes plus tard, elle m'enlevait sur sa moto, vingt de plus et nous atterrissions sur un banc, près de « notre » fleuve Charente, dans le parc de « notre » copain François Ier, et je me confessais de ma confession de la veille à mes parents :

— Figure-toi qu'ils avaient tout deviné, grand-père et grand-mère itou. Ils croyaient même qu'on avait sauté le pas, et le plus fort, c'est qu'apparemment ils ne font pas une maladie du « cousin-cousine ». Le seul problème, c'est que Nils n'est au courant de rien. Imagine qu'il apprenne par la bande qu'on s'aime et qu'on a l'intention de vivre ensemble ! Même s'il m'aime beaucoup, et sans doute plus que beaucoup, ça ne veut pas dire qu'il soit prêt à aller plus loin. Ne ris pas, Philippine, je n'en ai pas dormi de la nuit.

Philippine n'a pas ri, elle a allumé une cigarette pour décourager les éventuels squatteurs de bancs, très recherchés en ce dimanche où le miracle s'était produit, plus une goutte de pluie et, passant entre les nuages, comme une caresse du bout des doigts sur la joue, quelques timides rayons de soleil.

— Primo, Nils ne t'aime ni beaucoup ni un peu plus, il t'aime tout court. Et si tu ne veux pas qu'il l'apprenne par la bande des Saint Junien, pardon de me répéter, mais tu as intérêt à te déclarer presto. Quant au « cousin-cousine », auquel tu peux ajouter « germain », tu n'as pas parlé de « maladie » ? On regarde ça tout de suite, ok ?

Elle sort son smartphone de sa poche, le retire de son étui, le déverrouille : paysage d'icônes.

— Patience, c'est comme l'amour, faut attendre que ça chauffe pour voir les images.

Un ballon vient cogner mon pied, réexpédition à l'envoyeur, un gamin accompagné de son père qui m'applaudit, merci ! Au centre d'une pelouse, un immense sapin de Noël enguirlandé – on n'y échappe pas ! Éteint ! Économies de joie ? Des enfants tendent la main vers les paquets étincelants, suspendus aux branches, sans se douter que c'est du factice, du « pas vrai ».

Il y a deux mois, sur un même banc, un peu écaillé, Nils était assis entre Philippine et moi, il nous avait appris qu'il connaissait le nom du coupable et s'était juré de faire passer Monique aux aveux. C'est chose faite ! Le hic, c'est que l'assassin n'est pas celui qu'on croyait.

— C'est bon ! annonce Philippine.

Sur l'écran, les mots « consanguinité, mariage et santé de l'enfant » s'affichent. Mon cœur se serre : « On n'annonce pas les mauvaises nouvelles par téléphone », le credo familial. Aujourd'hui, on vous balance le pire en pleine figure, en plein cœur, sur le bleu d'un ordinateur.

Le doigt de Philippine surfe : articles, barèmes, visages graves, commentaires, échanges d'informations. Mot barbare : « hétérozygote » ? Mot rigolo : « gerbilles » ? Gros brouillard dans mon cerveau, c'est trop ! Je ne cherche même plus à suivre. Sérieuse, concentrée, Philippine poursuit, elle doit être excellente à son école de journalisme. Elle, à la pointe des nouvelles technologies, moi, un simple mobile. Elle, la moto, moi, le vélomoteur. Toute la différence entre nous ?

Retour aux icônes. « Icône, image sacrée », proteste le dictionnaire.

— Tu veux un résumé vite fait ? Pas de pathologie, ni de vilain gène dans la famille, c'est bon. Si pathologie ou vilain gène, alerte rouge pour les bébés. En gros, cinquante-cinquante. Conclusion, avant de vous lancer dans la procréation, vous aurez intérêt à consulter un généticien qui mesurera les risques en pratiquant un caryotype. Clair pour toi ?

Limpide ! Cinquante-cinquante, suspense garanti.

J'ose :

— Et Alexander, vilain gène, pathologie ?

Son doigt s'active de nouveau, j'ai encore dans les oreilles les cris déchirants de Monique ce matin, appelant son fils entre deux injections de calmant, on a dû forcer les doses. Si ça continue, il faudra penser au double vitrage.

À l'heure qu'il est, grand-père, tante Béatrix et maman doivent être aux Mésanges. Comment Alexander les a-t-il accueillis ? Réclame-t-il lui aussi sa mère ? Se souvient-il de la photo ? Et où est-elle passée, cette photo ? Grand-père l'a-t-il rendue à Jeanne avec ses remerciements ? Merci pour ma fille, merci pour mon petit-fils ?

— Bonne nouvelle ! annonce Philippine, même si c'est la guerre à couteaux tirés entre les spécialistes quant aux origines diverses et variées de l'autisme, la plupart s'accordent pour dire que, s'il peut y avoir des frères et des sœurs atteints du même mal, ça ne se transmet pas aux cousins.

Elle referme son instrument, le remet dans l'étui et l'étui dans sa poche.

Allume la cigarette suivante, me la tend : « Une

taffe ? » Je l'attrape, aspire, avale, m'étouffe, m'étrangle, rien que pour le plaisir de lui clore le bec une seconde fois : vierge, martyre... et fumeuse.

— Si on parlait de la suite du programme ? propose-t-elle, la surprise passée. Du grand moment où, comme disent élégamment tes parents, vous franchirez le pas, celui où tu passeras à la casserole.

— On n'en est pas là.

— Ça vient parfois plus vite qu'on ne l'imagine.

Je me tais, bec cousu. Pas envie de parler de la suite. Envie de parler d'amour, sans chiffres, sans barèmes, sans bagarres. De cœur sans caryotype. Envie d'être bête, naïve, nouille. Passe un couple de petits vieux. Pourquoi « petits » ? J'en connais des grandissimes. Ils se tiennent par la main, ils ont des visages doux, usés : les combats derrière eux ?

— Vas-y pour ta suite !

— Il me semble avoir entendu le mot « protection », je me trompe ? Tu sais, le petit machin en caoutchouc que le garçon enfile pour ne pas te filer une maladie ou te faire un bébé ?

— Pour ça, je sais, tu m'en as assez parlé.

— En oubliant un petit détail... la première fois, avec le premier garçon, le préservatoche, c'est pas franchement facile à gérer.

J'attends son rire. Eh bien non ! Pas une miette d'humour quand elle continue :

— T'es en pleine action, tu brûles, tu vas exploser, c'est le moment de faire don de ta précieuse virginité à ton bien-aimé. Et là, stop ! On arrête tout pour sortir le petit étui, le tendre à son tendre ou le laisser se dépatouiller tout seul. Et il arrive que ce soit laborieux, retour à la case départ, sans résultat garanti. Et toi, telle que je te connais, pour te protéger, c'est pas du courage, c'est de l'héroïsme qu'il te faudra. Alors, un conseil, galère pas trop, ça s'arrange vite, question de pratique.

Oups ! Cette voix brusque, cassée aux entournures, je l'entends pour la première fois. Et revoilà mon cœur en bouillie : « Pauvre Philippine » ? Il est vrai qu'avec son premier garçon, sa première fois, ça ne s'est pas trop bien terminé, alors maintenant elle use et abuse. Quant à moi, pour les découvertes familiales, ça va comme ça ! Hier, mes parents, aujourd'hui, ma jumelle, eh, oh, tu ne vas pas me faire le coup de pleurer en plus ? Je t'aime Philippine, et moi c'est pour toujours.

— Un dernier détaillon, termine-t-elle, attends-toi à ce que ça brûle un peu, t'y arrête pas, ça passe vite ; paradoche garanti au bout.

Paradoche… Préservatoche… Fastoche, l'amour ? Et soudain, elle s'étire, s'ébroue, regarde partout, me regarde, rit. Rit enfin.

— Mais qu'est-ce qui t'arrive ? Tu en fais une tête. À propos, tu m'as pas dit : cette déclaration, c'est pour quand ?

— Demain.

9

Nils

Pour la commode, c'est bien parti ! La marqueterie a été restaurée, le placage amarante et bois de rose-Roselyne recollé, les ferrures des tiroirs remplacées : tiroir du haut, mouchoirs, foulards, tiroir du milieu, petit linge, socquettes, tiroir du bas, secrets, collier de coquillages, on dirait une comptine, la mélancolique ritournelle du passé.

Ce matin, Nicolas Santini est venu admirer le travail de son élève.

« Que dirais-tu si on te la livrait pour les fêtes ? Tu pourras te vanter de l'avoir remise en état tout seul, bravo, mon grand ! »

Les fêtes ?

Bien sûr, nul ne se doute, à l'atelier, de la tourmente qui, depuis samedi, secoue le château aux mille merveilles, dont certaines sont passées par les mains des compagnons. Lorsque, après les « fêtes », ils apprendront l'ouverture du procès en révision et le nom des nouveaux suspects, en voudront-ils à Nils de ne leur avoir rien dit ? En particulier le maître, si généreux et confiant ? Edmond a demandé la « plus grande discrétion ». Cela l'arrange.

Prétextant des courses à faire, il n'a pas déjeuné sur place, incapable de jouer la comédie du « tout va bien », de plaisanter avec les autres, même si ces autres savent que la plaisanterie n'est pas le fort de Nils de Saint Junien. Il est allé chez Salvador où il a commandé une omelette et une salade qu'il a mangées sans faim… et sans quitter des yeux la porte, espérant, contre toute raison, voir Fine la franchir ; n'est-elle pas déjà venue le surprendre ici ? Elle aussi, elle surtout, Nils a peur qu'elle lui en veuille. Samedi, il n'a pas pu lui parler, Edmond tenant à annoncer lui-même à la famille rassemblée le nouveau drame qui la frappait. Dimanche, apparemment, c'est Fine qui le fuyait, toute la matinée avec ses parents, l'après-midi, partie on ne sait où avec Philippine. Il n'a pas osé l'appeler, n'avait-elle pas laissé sans réponse son message de la veille ?

Bien que la salle soit pleine, Salvador a pris le temps de passer le saluer.

— Tout seul, aujourd'hui, milord ?

Dans le regard malicieux du serveur, le nom de celle que Nils espérait.

Il lui est arrivé de les appeler « les amoureux », et Fine, les joues empourprées, faisait comme si elle n'avait rien entendu.

Oui, seul, si seul. Sans toi !

C'est décidé, il l'appellera ce soir dès son retour de l'atelier. Il a tant de choses à lui dire. Entre autres que lors du procès en révision, il ne s'acharnera pas sur Monique. Que devant la déroute totale de l'adversaire, toute haine a déserté son cœur. Et aussi, pratiquement certain d'être innocenté, il pourra enfin lui dire qu'il l'aime.

Durant l'après-midi, il a « tiré le vernis » en passant sur le bois restauré de la commode un tampon imbibé de gomme-laque dissoute dans de l'alcool, opération qu'il a renouvelée plusieurs fois, laissant entre chacune le temps au vernis de durcir. Patience et longueur de temps. Si long, le temps, quand on navigue entre crainte et espoir.

Avant de quitter l'atelier, il est passé à la douche comme certains de ses compagnons pour se nettoyer des odeurs de colle, faite à base de cartilage de poisson, d'alcool et de vernis. Il lui semblait en avoir jusque dans les cheveux, et les autres se sont livrés aux habituelles plaisanteries : « On se fait beau pour sa belle ? »

Il n'était pas loin de six heures lorsqu'il a passé la grille du château et, comme chaque matin en partant, chaque soir en revenant, son regard a volé vers la fenêtre de Fine : éteinte ! Sombre, bien sûr, la dépendance de Monique. Allumée, celle de Béatrix. Pleins feux dans le salon de ses grands-parents.

Allumé chez lui ?

Il a poussé la porte. Sa belle était là.

*

Fine

Je suis rentrée à la maison vers quatre heures trente. Maman m'avait laissé un mot sur la table de la cuisine : « Je suis au château, à plus tard ! » Bien sûr, avec grand-mère, au chevet de tante Monique.

Benjamin ne serait pas là avant une petite heure, le but était d'être partie avant son retour pour éviter les « où tu vas ? », les « pour quoi faire ? », les « tu reviens quand ? ».

J'allais chez Nils pour lui dire que je l'aimais, je ne savais pas quand je reviendrais. Ni dans quel état.

J'ai pris un bain, je me suis lavé les cheveux, mis de la crème un peu partout et de l'eau de toilette derrière l'oreille. Allez, Fine, pas d'hypocrisie ! Et si, ma déclaration faite, il me prenait dans ses bras ? S'il m'embrassait, me caressait ? Si nous… « Ça vient parfois plus vite qu'on ne l'imagine », m'avait avertie Philippine, rien qu'à l'imaginer, j'avais mal, là, et coulait le ruisseau qui prépare à l'amour.

Jupe ou pantalon ? Jupe ! Soutien-gorge ou non sous le pull en cachemire ? Non !

« Préservatoches » dans mon sac au cas où ? Oui !

Refermant sur moi la porte de la maison, il m'a semblé que ce soir, quoi qu'il en soit, lorsque je l'ouvrirais pour rentrer, je ne serais plus tout à fait la même, je l'aurais enfin faite, cette foutue déclaration !

Déjà la nuit, si tôt, la nuit. Et si sa porte à lui était fermée à clé ? Je me suis glissée le long des murs pour que personne ne me surprenne, n'ai eu qu'à la pousser, je l'ai vite refermée.

On n'y voyait rien avec les rideaux tirés, j'ai tâtonné jusqu'à la cheminée et réglé au plus doux la lampe à halogène qui ressemblait à un grand échassier. Ce n'était que la deuxième fois que je me trouvais seule chez Nils et j'éprouvais une sorte de gêne, comme si je n'avais pas le droit, que je franchissais un interdit. Philippine aurait ri, elle qui entre et sort d'ici comme dans un moulin.

Froid, le moulin, chauffage arrêté ? Trop bien rangé, le salon, rien qui traînait, pas vraiment habité. On dit d'une âme qu'elle est habitée ou non, sans âme ! Et moi qui, il y a un instant, brûlais, je me sentais glacée, éteinte, comme la bûche dans la cheminée, le feu préparé par papa pour Nils le matin de son retour et qu'il n'avait jamais vraiment allumé. Allume-t-on un feu pour soi tout seul ?

J'ai tourné autour de moi-même, de ma décision. Je n'allais pas renoncer, quand même !

J'ai posé mon manteau sur le dossier d'une chaise et je me suis réfugiée dans un coin du canapé.

La porte s'est ouverte.

10

Eux

Elle est là ! Sa belle est là ! Et durant quelques secondes, la joie paralyse Nils, il n'ose y croire. Puis il referme la porte et tire le verrou : que nul ne s'avise de les déranger !

Tandis qu'il pose casque et gants sur la table, déroule son écharpe, se défait de son blouson, elle le fixe, recroquevillée dans un coin du canapé, muette, effarouchée. On dirait une mouette mazoutée, on dirait qu'elle tremble, alors il court la prendre dans ses bras et, c'est drôle, la première pensée qui lui vient est qu'il a bien fait de se doucher à l'atelier – ne manquerait plus qu'il sente l'alcool et le poisson !

Il la serre fort contre lui pour la réchauffer, en répétant encore et encore son nom, Fine, ma Fine. Ses lèvres se promènent dans les boucles châtaines, il retrouve l'odeur d'œillet derrière l'oreille, sa bouche cherche la sienne…

Mais voici qu'elle le repousse, se redresse, prend son élan, comme ce matin de septembre où elle l'avait suivi à vélo jusque… chez Salvador, tiens !

Et elle lui avait lancé d'un trait, tel un SOS : « J'ai

eu très peur que tu t'en ailles, j'ai passé une sale nuit. » Et il avait répondu : « Moi aussi, j'ai mal dormi, mais maintenant que tu es là, ça va ! »

Quoi qu'elle dise, ça ira. Pour lui, il le sait, les « sales nuits » sont terminées.

Fine s'était juré de tout lui dire, tout de suite, de s'en débarrasser et après on verrait ! Elle n'avait pas prévu, pas si vite, les bras de Nils autour d'elle, le brusque ouragan de chaleur, la tentation de se laisser emporter.

S'arracher à lui est une douleur, et alors qu'elle a répété dix fois ce qu'elle lui dirait, tranquillement, dignement, surtout sans pleurer, les mots sortent en torrent, débordent, la débordent : « Voilà, je t'aime depuis toujours, je ne peux pas imaginer vivre sans toi, aucun garçon ne m'a jamais vraiment intéressée, tu seras le premier. Dans la famille, presque tout le monde a deviné, et qu'on soit cousins germains, grand-père et grand-mère n'en font pas une pendule. Et hier, Philippine a regardé sur son smartphone et, si un jour… enfin, mettons que tu sois d'accord – et là elle va beaucoup trop vite, c'est n'importe quoi –, bon, bref, si par hasard on décidait de vivre ensemble, il faudra faire un caryotype pour mesurer les risques et, en attendant, en attendant… j'ai promis à maman de me protéger. »

Et elle est vite revenue se cacher dans ses bras et, pour les larmes tant pis, c'était dit !

Un « cario » quoi ? Sous le déluge de mots, Nils a eu envie de rire et de pleurer, rire comme un gamin dont on exauce le rêve fou, pleurer comme un homme enfin arrivé. Elle l'aime, Fine l'aime. Celle sans laquelle il n'est jamais parvenu à envisager son avenir ne voit le sien qu'avec lui. Que beaucoup se doutaient, il le savait, que ses grands-parents n'en fassent pas une « pendule », c'est un miracle.

Il l'a écartée, a relevé son menton pour l'obliger à lui faire face, dégagé son visage des boucles collées par les larmes et, pour la première fois, il l'a appelée « idiote ». « Tu n'as pas remarqué, idiote, que lorsque l'un de nous a un mot au bord des lèvres, l'autre le prononce ? Ça a toujours été comme ça entre nous et, cet après-midi, figure-toi que j'avais décidé de te dire que je t'aimais et voilà que tu viens de le faire pour moi. »

Afin de confirmer, il joint ses lèvres aux siennes et ils restent une éternité comme ça, à puiser les mêmes mots à la source, jusqu'à ce qu'ils les ouvrent pour un vrai baiser.

Il est arrivé à Fine d'embrasser quelques garçons, ou plutôt de se laisser embrasser, encouragée devinez par qui ? Il lui est arrivé d'éprouver un trouble, sentir monter un appel, mais comme ça, jamais ! Jamais cette chaleur s'emparant de tout son être, cette impossibilité de s'arrêter, de se séparer, inexorablement, implacablement soudés. Et, en bas de son ventre, cette tension brûlante, cet ordre impérieux, qui l'ouvre toute, la met à la merci d'un homme, cet homme-là. Elle comprend les histoires de pirates qui enlèvent de naïves jeunes filles suspendues à leur cou, les entraînent à leur perte sans qu'elles puissent résister. Et elle approuve sa mère de se faire « belle de nuit » pour son père. C'est certainement blasphématoire de penser à Hermine, à Roselyne, à un tel moment, mais Fine comprend aussi que le désir peut être à la base de toutes les transgressions.

*

« Bonsoir ! », « Salut ! », « Alors, cette journée ? »… De l'autre côté de la cloison, c'est le branle-bas du retour : voix féminines et masculines, montées et descentes d'escalier, petits pleurs d'Aurore, claquements de portes.

Nils et Fine se sont séparés, un peu essoufflés, cette fois le rire au bord des lèvres, mon Dieu, s'ils savaient, s'ils les voyaient…

Nils lui a dit qu'il s'était fait une promesse – et si tu ne tiens pas tes promesses, tu attires sur ta tête la colère des dieux –, allumer, le jour où ils seraient deux, tous les deux, le feu préparé par le gentil Gilles, le père de Fine, pour fêter son retour.

Il s'est levé et, sur le rebord de la cheminée, il a pris une grosse boîte d'allumettes de cuisine qu'il a grattées, une, deux, dix : le fiasco ! Humidité, attente, pleurent boules de papier, branchettes et bûches. Une bonne partie de la boîte y est passée avant que ne se décide à trembloter une mince flamme bleue. Et finalement, c'était bien. Ça leur a donné du temps pour les confidences. À Fine celui de raconter le « dimanche confession » sous le regard de François Ier. À Nils d'avouer – avouer ? – que même si ça pouvait paraître débile à son âge, lui non plus n'avait jamais… Avec le boulot de sa mère à Amsterdam, les filles ne le branchaient pas trop. Ici, il avait tout de suite su que c'était elle qu'il attendait et, quelques semaines plus tard, c'était la prison qui l'accueillait. Bref, toi aussi, tu seras la première.

Elle a tendu les bras pour qu'il y revienne, il a dit : « Attends, je n'ai pas terminé. » Il avait fait une autre promesse, celle-là plus difficile à honorer : ouvrir le flacon d'eau-de-vie, offert par Edmond pour fêter sa libération, le jour où il aurait trouvé la preuve qui l'innocenterait. C'était chose faite, mais autour de cette preuve il y avait tant de souffrance passée et à venir qu'il ne se voyait pas y levant son verre. Alors si nous buvions à une autre découverte : toi moi nous ?

— Toujours ! a ajouté Fine.

Nils a empli deux verres tulipe et, les yeux dans les yeux, comme Edmond leur avait enseigné au Paradis, le nez pour se pénétrer de l'arôme, le palais lentement imprégné, la queue de paon dans la gorge, ils ont partagé le nectar des dieux.

De nouveau, ils s'embrassent. Nils découvre, sous le pull, les seins menus, dressés, et il ne peut s'empêcher de revoir les terrifiantes montgolfières, aux larges aréoles, des femmes trop fardées, dans les films pornos que se passaient en prison ses compagnons de galère. Fine promène ses lèvres dans la tiède et douce broussaille d'un torse masculin contre lequel, si souvent, elle s'est endormie en rêve. La main de Nils se glisse sous sa jupe, la découvre prête pour lui. Les doigts de Fine défont les boutons du jean pour le caresser. Il tente de se défendre : « Attends, on a tout le temps, on n'est pas à quelques jours près, quelques semaines. » Elle rit, d'un rire un peu rauque qu'il ne lui connaissait pas : « Arrête de parler comme mon père. » Elle se lève et l'entraîne au premier.

Ils sont nus sur le grand lit dévasté. Est-ce elle qui gémit ? Est-ce lui qui gronde ? Il regarde sa hardie, son ardente, ouverte à lui. Elle regarde le désir dressé au-dessus d'elle. Et Philippine a tout faux : mettre le préservatif ne demande ni courage ni héroïsme puisqu'ils le font ensemble. Et il n'y a ni arrêt ni fléchissement, et Fine le prend dans sa main pour le guider en elle.

Attention, doucement, sans hâte, en se maîtrisant pour ne pas la blesser, sa petite fille, son amour. Forcer sa porte, pénétrer dans l'étroit chemin, aller à sa source et s'y noyer sans cesser de lui dire qu'il l'aime.

Elle lui offre la brûlure. Au plus profond d'elle-même, malgré la douleur, palpite le sourd appel d'une mer étrangère. Il répète « Je t'aime », elle s'entend ordonner « Continue », peu à peu son corps s'abandonne à la vague, obéit à la houle, et monte, d'une lame plus vive, une touffeur inouïe qui l'envahit toute, l'emporte jusqu'à la crête d'un plaisir dont elle voudrait qu'il ne cesse jamais. Et c'est bien la déferlante des films américains rétros qui les emporte ; Nils et elle, ensemble, dans son écume.

11

Philippine

Lorsqu'elle était môme, Philippine avait un rêve : changer le vilain *x* qui terminait le prénom de sa mère, tel un fil barbelé, en un doux et tendre *ce*, Béatri*ce*, comme sa meilleure amie qu'elle avait choisie exprès, Béatrice, prénom de la bien-aimée d'un grand poète appelé Dante.

Et cela transformait tout ! Le regard de Béatri*ce* était joyeux et indulgent lorsqu'il se posait sur elle, et non froid et exigeant. Les lèvres de Béatri*ce* étaient rondes, ouvertes sur des sourires et non pincées comme les cordons d'une bourse à secrets.

Dans les rêves de Philippine, Béatri*ce* avait la même taille que sa mère mais, contrairement à celle-ci, corsetée de principes et de certitudes, elle savait se ployer et il lui arrivait même de danser dans des robes à volants, alors que Béatri*x* ne portait que des tailleurs sombres et des souliers plats. Mais le top c'était les cheveux, ni chignon ni bandeaux, répandus sur les épaules de son rêve et dans lesquels elle avait le droit de passer la brosse, à longs coups doux, comme Fine, dans les boucles châtaines de sa mère.

Jusqu'à quel âge s'était-elle endormie, la joue enfoncée dans le prénom secret ? Sans doute avait-elle renoncé le jour où sa grand-mère lui avait révélé le cœur déchiré de sa mère lorsque son jumeau, Xavier, était devenu moine dans un lointain monastère, alors que, jusque-là, ils avaient tout partagé. Dans les rêves, il y a toujours une lumière d'espoir, de « sait-on jamais ? », il avait semblé à Philippine voir s'éteindre le sien pour toujours.

Et voilà que depuis l'arrivée d'Agnès et d'Aurore, le retour de Nils, les barbelés se desserraient, une lumière passait qui la transportait : Béatri*ce* pas morte ?

Fine lui a fourni l'occasion de s'en assurer.

*

Ce jour-là, elle a quitté plus tôt son école. Choisir le bon moment pour la photo ou l'interview est la base du métier de journaliste, cet instant où passent la vie, l'émotion, que l'on fixera sur l'objectif ou le papier.

Quinze heures trente. Son père et son frère sont au travail à Cognac, ventes vertigineuses pour Noël. Agnès rencontre un client dans le bar de son hôtel vertigineux, Aurore est partie en balade avec sa baby-sitter, lorsque Philippine entre au salon – c'était calculé –, sa mère est seule.

Assise dans un coin de canapé, elle lit. Elle dit souvent qu'elle le fait pour toute la maison, ce qui n'est pas faux. Et que lit-elle ? Des romans ! De la graine de fleur bleue se serait-elle égarée entre les barbelés ? Elle relève la tête, s'étonne.

— Toi ! Philippine, déjà ? Un souci ?

Sans répondre, tranquillement, Philippine vient s'asseoir à l'autre bout du canapé, pas trop près quand même, pas à se toucher. Sa mère a retiré ses lunettes, fermé son livre sur un marque-page, et la fixe, inquiète. Les soucis qu'elle redoute, Philippine les connaît : au courant de ses nombreuses aventures, Béatrix craint l'accident, l'enfant ! Elle doit prier tous les matins pour que cesse sa vie « dissolue », et, un miracle n'étant jamais à exclure dans la famille, qu'elle se fixe, se range, se case, pourquoi pas se marie, quelle horreur !

— Aucun souci, maman, tout roule ! Je voulais juste te dire « bravo ».

Elle a évité le « chapeau » qui aurait pu sonner comme du persiflage.

— « Bravo » ? Mais pourquoi ? demande sa mère en ouvrant de grands yeux, et Philippine se dit qu'avec un petit effort du côté des cils, un semblant de maquillage, elle pourrait être… possible.

— Tout simplement parce que c'est grâce à toi que Nils va être innocenté.

Béatrix a un rire sec.

— Grâce à moi ? Que vas-tu chercher là ?

Philippine ne rit pas.

— Et qui s'est souvenue la première du comportement bizarre de Monique ? Qui s'est rappelé l'avoir vue dans sa cour, le jour de l'assassinat de Maria ? Qui en a parlé à Agnès, relancé la décision de Nils de chercher la vérité ?

— Une bien sombre vérité, constate sa mère avec un soupir. Et je n'ai fait qu'essayer de me mettre en accord avec ma conscience. J'aurais dû en parler à Gabrielle bien avant. Trop certaine de la culpabilité de Nils, je ne me suis pas attardée sur ce qui m'apparaissait n'être qu'un simple détail.

Elle hausse les épaules, s'éloigne, ferme la parenthèse ?

— Tu sais bien que c'est grâce à Jeanne, cette photo, que la vérité a été découverte.

Et là, c'est trop, Philippine explose.

— Mais bien sûr, grâce à Jeanne, grâce à Gabrielle, grâce à Agnès, une photo en papier glacé, comme toi avec moi, maman, pourquoi on n'est jamais arrivées à se parler toutes les deux, se parler vraiment ?

Ces derniers mots, Philippine ne les avait pas prévus. La réponse de sa mère non plus.

— Je sais. Pardon.

*

Était-ce bien sa voix, cette rocaille ? Était-ce bien des larmes dans sa gorge ? Était-ce elle, Philippine, qui racontait des rêves idiots, des espoirs mort-nés, et même, même, les sanglots retenus la nuit d'une petite fille perdue entre trois hommes sûrs de leur supériorité et une mère inaccessible. Les psys se seraient régalés, ces cons ! Pardon maman.

Au point où elle en était, elle a même osé prononcer le prénom tabou : Xavier. Qui mieux qu'elle pouvait comprendre le désespoir de Béatrix d'être séparée de son jumeau, elle qui avait une jumelle, fausse à souhait, avec laquelle elle partageait tout depuis l'enfance, sans laquelle elle ne voyait pas très bien comment elle vivrait, et tu vois, ce n'est pas forcément celle qui crie le plus fort qui est la plus costaude. Et plus têtue que Fine, tu meurs ! Elle nous en réservait une belle, elle m'a chargée de te l'annoncer. Et s'il te plaît, ne pince pas les lèvres, ne fronce pas les sourcils, c'est une bonne nouvelle et les bonnes nouvelles par les temps qui courent, tu conviendras qu'elles se font rares. Fine, tu l'aimes bien, n'est-ce pas ? Nils aussi, tu l'as prouvé, eh bien ils sont ensemble, c'est du sérieux, peut-être même bien qu'un de ces jours, on pourrait être de noce. Pour les bébés, ils ne sont pas pressés.

Béatrix n'a pas froncé les sourcils, elle n'a pas pincé les lèvres, quelques petits hochements de tête, sans jamais détourner les yeux, ça personne ne pourrait jamais le lui retirer : droiture et sincérité. Quand Philippine a eu terminé, elle a pris sa main dans la sienne, l'y a gardée pendant un siècle, il lui semble même qu'elle l'a caressée, ne manquait plus que la brosse dans les cheveux épandus sur les épaules, le vrai mélo, un merveilleux mélo.

— Nous en avons parlé avec Agnès, a dit calmement Béatrix. Tes grands-parents se doutent, avec eux, ça ne devrait pas poser trop de problèmes. À ce propos, qu'attend Nils pour éclaircir la situation ? Là où ça risque de coincer, c'est du côté de ton père et de Thibaut, qui n'ont rien vu venir. Tu connais leur intransigeance pour tout ce qui concerne la famille, leur peur du qu'en-dira-t-on. Tu m'aideras ?

12

Nils

Les flammes dansent sur le bois de la commode qui vient d'être livrée à Nils en cette avant-veille de Noël. Nicolas Santini a tenu sa promesse.

Il passe le doigt sur le marbre veiné de rouge orangé sur lequel il a prévu de mettre à l'honneur quelques photos de sa mère : la sage petite fille à nattes, la jeune fille à l'air bravache, et la seule qu'il a rapportée d'Amsterdam, la femme au regard triste, lui tenant la main : une photo prise par Mado, tiens, il faudra qu'il l'appelle, les fêtes passées !

« Les fêtes passées », tous n'ont que ces trois mots en tête, trois mots qui sonneront le début des hostilités.

Nils regarde le beau bois doré qu'il a nourri, lors de la finition, d'un petit filet d'huile, réparti à l'aide d'amples mouvements de bras en forme de huit, comme on enlace, avant de l'éclaircir avec un peu d'alcool – opération délicate entre toutes – afin d'obtenir le brillant adéquat, ni trop ni trop peu. Et l'expression « âme du bois » lui revient. Tout au long de son travail, il a senti battre, à l'union de la sienne, l'âme de Roselyne.

Dans les tiroirs du haut, Fine laissera quelques effets, petit linge, t-shirts, chemises de nuit, qui lui permettront de le rejoindre ici, seulement de l'amour dans les mains. « Effets », le mot lui plaît qu'il s'amuse à tourner et retourner comme elle aime à le faire : « effets personnels », « bon ou mauvais effet », et aussi « prendre effet », comme on dit d'un jugement au moment où il peut s'appliquer, par exemple à l'issue d'un procès en révision, le coupable ayant été reconnu innocent.

Dans le tiroir du bas, une surprise l'attendait, le collier de coquillages, peint par la petite Roselyne que la jeune fille avait laissé « comme un adieu à enfance », lui avait confié sa grand-mère, « l'une des rares fois où j'ai vu ton grand-père pleurer ». Et elle avait ajouté : « Un jour, si tu veux, nous la ferons remettre en état et elle sera à toi. »

Delphine est allée à l'atelier, en secret, remettre le collier à sa place avant que la commode soit livrée à Nils : pour le remercier de lui avoir, de ses mains, redonné vie ?

Il faudra qu'il lui parle, ainsi qu'à Edmond, de Fine, Fine et lui. Ils ont décidé d'attendre un peu pour s'installer ensemble, se laisser le temps de préparer les esprits, on verra ça… « les fêtes passées ».

Il se souvient de la question que Fine lui avait posée après qu'il avait décidé de montrer à Alexander la photo que Jeanne lui avait offerte. « Si tu ne trouves pas la preuve de ton innocence, pourras-tu être heureux quand même ? » Et sans hésiter il avait répondu : « Jamais assez pour replanter. »

Avec Fine, ils replanteront sur du bonheur.

Il revoit Edmond, debout derrière Monique, prêt à

la retenir au cas où elle tomberait, il revoit couler les larmes de Delphine, il entend le cri sauvage, montant des entrailles d'une mère séparée de son enfant.

Pour les cris, c'est terminé, Monique n'en a plus la force. Elle refuse de s'alimenter, on a dû lui poser un goutte-à-goutte, cela ne peut plus durer, « les fêtes passées », ses grands-parents ont décidé de la faire hospitaliser.

À Angoulême, en attendant le procès en révision ? Dans le même hôpital psychiatrique qu'Alexander, pourquoi pas ? Tous ces mois et ces mois d'attente, un processus qu'il connaît par cœur : instruction, enquête, psys, experts… jusqu'au jugement, le ballet des robes rouge et noire, président, assesseurs, avocats, témoignages, plaidoiries, c'est à l'accusé qu'il revient de parler en dernier, délibération du jury.

« Ton témoignage, plus ou moins accablant, sera déterminant », a dit Gabrielle dans un restaurant appelé Le Diamant noir.

Verdict !

Et durant tout ce temps, avant et après le procès, Nils voit, chaque jour, à chaque heure autorisée, Edmond et Delphine rendre visite à leur fille, à leur petit-fils, jusqu'à l'extinction de leurs forces, leur départ pour un ciel auquel ils croient.

Il a fermé les yeux.

Il les rouvre avec difficulté et regarde de nouveau la commode en bois de rose, que souhaiterais-tu, maman ? Il revoit le tableau de la Vierge bleu et blanc, tenant l'Enfant Jésus sur ses genoux dans la chapelle des vœux, à Amsterdam. Lors de la réfection d'un tableau ancien, on parle de « repentirs ». Il s'agit des différentes couches qui permettent aux experts de déceler, à l'aide d'infrarouges, ce qui est de la main du maître et de celles de ses élèves.

Lorsque Nils partagera avec Fine la commode aux coquillages, son bonheur sera-t-il entaché par le repentir d'avoir brisé le cœur de ceux à qui il doit tout ? Sa décision est prise.

*

Il a d'abord parlé longuement au téléphone avec Gabrielle, puis il a allumé un feu avant d'appeler ses grands-parents pour leur demander de bien vouloir le rejoindre chez lui. Il faisait beau et froid, un ciel net, depuis quand n'avait-il pas éprouvé ce sentiment de paix ? Son arrivée ici, envoyé par sa mère ?

À peine une dizaine de minutes, et Edmond et Delphine étaient là, sourire aux lèvres, s'attendant à ce qu'il souhaite partager avec eux la joie d'avoir reçu la commode, ravis de la belle flambée.

Très vite, il leur a demandé de s'asseoir, il avait hâte ! Lui est resté debout.

Voilà. Il n'y aurait pas de procès en révision, il renonçait à attaquer Monique et Alexander, sujet clos, dossier clos, son avocate était d'accord. Alexander resterait aux Mésanges où Monique, dès qu'elle serait rétablie, pourrait reprendre ses visites.

Tandis qu'il parlait, Delphine avait porté ses mains jointes à ses lèvres, en un geste qu'il connaissait bien, d'action de grâces ? Lorsqu'il a eu terminé, Edmond s'est levé.

— Il n'en est pas question ! a-t-il tonné. Justice doit être faite. Et qui est cette avocate, cette Mme Darcet, pour oser enfreindre mes ordres d'aller jusqu'au bout ?

Nils n'a pas détesté la colère de son grand-père, il a souri.

— Je lui ai demandé de détruire la preuve. Elle a refusé, au cas où Monique serait tentée de revenir sur ses aveux. Cette boucle d'oreille, gardée en lieu sûr, sera son châtiment.

— Je refuse que tu te sacrifies pour nous, s'est entêté Edmond.

— Je le fais tout autant pour moi, a répondu Nils. Croyez-vous vraiment que je pourrai être heureux si vous ne l'êtes pas ?

Dans le regard de Delphine, il a lu la reconnaissance, le soulagement, l'amour.

— Et heureux, je le suis déjà, vous en connaissez la raison. Mais je vais avoir grand besoin de votre compréhension et de votre soutien. Fine et moi avons l'intention de nous marier. Il paraît que ça se fait dans la famille.

— En effet, et nous t'en remercions, a dit Delphine, les larmes aux yeux, les yeux sur la commode.

Et là, son grand-père, son héros, celui à qui il devait tant, tout, a fléchi. Comme un immense soupir l'a ébranlé ; avant qu'il ne se redresse et, sans un mot, vienne prendre Nils dans ses bras.

Et Nils se souvenait du jour où, sous les yeux du commandant Delorme à la gendarmerie de Cognac, Edmond de Saint Junien avait retiré la rosette de la Légion d'honneur de sa veste avant d'en recouvrir ses épaules, lui sauvant la vie.

Aujourd'hui, ne faisait-il pas que s'acquitter d'une dette, en lui offrant un « silence d'honneur » ?

13

Fine

Ça s'est passé juste avant les vacances de Noël, dans un collège près de Cognac, pendant la récréation de midi. Merlin, douze ans, se réjouissait avec ses copains de partir bientôt aux sports d'hiver, quand trois élèves d'une autre classe l'ont attaqué à coups de pied, de poing, et même un coup d'Opinel.

Il est à l'hôpital, dans le coma. Il paraît que son pronostic vital est engagé.

Ses agresseurs ont très vite été arrêtés par les gendarmes, aucun n'a pu donner d'explication à son geste. Ils ont seulement dit que « Merlin », c'était pas un nom et qu'ils étaient « vénères » (énervés).

Le soir, on a regardé avec Benjamin l'émission spéciale à la télé.

« Pourquoi lui ? Pourquoi mon Merlin ? Tout le monde l'aimait, il n'avait pas d'ennemis », a sangloté la mère, harcelée par un journaliste avide de larmes en direct.

Une cellule psychologique a été mise en place au collège afin que tous ceux qui le souhaitaient puissent exprimer leur peur ou leur angoisse. Le directeur a décidé de suspendre les cours jusqu'aux vacances, le surlendemain, ça tombait bien. La prof de français a dit qu'il y avait de véritables petits fauves parmi ses élèves et que sa vocation était devenue une épreuve. Tous ont réclamé plus de surveillants. Un ministre au visage sévère a répondu qu'il ferait son possible mais qu'il ne pouvait pas mettre une personne derrière chaque enfant, on devait prendre le mal à la racine, responsabiliser les familles, se préoccuper plus de ceux qui ne trouvaient pas leur place à l'école. Il viendra demain faire part à tous de sa profonde émotion et exprimer sa solidarité aux enseignants.

Enfin, un psy a expliqué que certains jeunes ou moins jeunes, hommes ou femmes, n'avaient à leur disposition qu'un tout petit nombre de mots, un vocabulaire très restreint, qui les empêchait de pouvoir dire ou crier leur détresse, leurs frustrations, leur sentiment d'échec ou de rejet. Alors, ils le faisaient en cognant.

« Tu parles ! Les fauves, on les met en cage, c'est tout ! » a déclaré Benjamin.

Pour lui, la vie est simple, il y a les bons et les méchants, le bien et le mal, les bons doivent être récompensés, les méchants punis, point ! Quand papa essaie de lui expliquer que c'est un tout petit peu plus compliqué que ça, il se met en rogne.

Moi, j'ai pensé à tante Monique, enfermée depuis des années dans le désert de sa rancœur et de sa solitude. Combien de mots lui restaient-ils, en dehors de ceux qui la concernaient, elle et Alexander ? Moi, moi, moi ! Mon fils, mon fils, mon fils. Pour ne pas être séparée de lui, elle n'avait pas hésité une seconde à étouffer Maria la bavarde, la petite princesse, lui rentrer dans la gorge les mots dangereux. Dans la famille, on s'était étonnés que pas une seule seconde elle n'ait manifesté de remords.

« Tout ça pour rien. »

« Tout ça », à défaut de paroles ?

Je sais enfin ce que je veux faire plus tard : aider les gens qui ne savent pas… comment dire. Leur donner des mots pour exprimer leur colère, leur douleur, leur mal de vivre. Et aussi leur apprendre à se regarder, à se voir, ça va ensemble ! Je ne m'adresserai pas seulement aux jeunes mais à tous ceux qui n'ont pas eu ma chance d'avoir, depuis leur « tendre enfance », cette poignée d'années où tout s'inscrit, des mots à gogo : « go, vas-y », « go, tu peux », « allez, go ! ».

Je vais reprendre mes études. Papa se renseigne sur les filières, maman applaudit, Benjamin hausse les épaules.

*

C'est grand-mère qui, après avoir demandé à la garde-malade de bien vouloir quitter la chambre un instant, a annoncé à Monique la bonne nouvelle : Nils renonçait à les attaquer, elle et Alexander.

« Ton fils pourra rester aux Mésanges, ma chérie. Dès que tu seras rétablie, nous irons le voir ensemble et un jour tu reprendras tes visites quotidiennes et tu te réinstalleras chez toi. »

D'abord, tante Monique a cru à un piège et elle s'est quasiment cachée la tête sous son drap pour ne pas se faire avoir. Il a fallu appeler grand-père à la rescousse – le seul en qui elle a confiance, et encore – pour qu'elle veuille bien l'en ressortir.

On a su qu'elle avait été convaincue à midi, lorsqu'elle a accepté, pour la première fois depuis des jours, de manger un peu de purée avec du jambon haché dedans et trois cuillerées de compote, préparées avec amour par Jeanne.

Grand-père a annoncé la nouvelle tour à tour à chacun, Nils n'ayant pas souhaité de réunion.

Il n'y a pas eu de réunion non plus pour annoncer à la famille que Nils et moi nous nous aimions. C'est tante Béatrix, Agnès et Philippine qui ont mis « leurs hommes » au parfum, Philippine, la main dans celle de sa mère, on aura tout vu !

Oncle Baudoin et Thibaut sont tombés des nues et ils ont très mal pris la chose, nouveaux soucis, nouveau scandale à l'horizon, alors qu'on en sortait à peine. Il paraît qu'ils n'ont qu'un espoir : que ça nous passe. Là, ils sont mal barrés. Bien sûr, Louis-Adrien a proposé d'ouvrir une bouteille de champagne, Agnès n'était pas contre.

Quant à Benjamin, à qui j'ai tenu à parler moi-même et qui ne se doutait de rien lui non plus, il m'a fait une scène.

— Mais vous êtes cousins germains, vous avez pas le droit !

— Et où c'est marqué, ça ? Tu aurais intérêt à relire ton histoire de France, tu verras que les mariages entre cousins étaient monnaie courante.

— Parce qu'en plus vous allez vous marier ?

— Plains-toi ! Toi qui regrettais de ne pas avoir de frère, tu vas en avoir un « beau » !

En attendant, avec Nils, on fait l'amour tout le temps, il faut dire qu'on a commencé tard, surtout lui. On va de découverte en découverte et, pour le paradis, Philippine a raison, à condition d'y ajouter un peu de l'enfer de l'attente et du purgatoire de devoir patienter pour vivre ensemble.

Comme proposé par Nils à tante Béatrix, la grande chambre avec salle de bain va passer dans sa dépendance. Agnès exulte, elle fait plan sur plan. Pour remercier Nils, elle nous offrira la remise à neuf de la chambre d'amis, elle aussi avec salle de bain, mais moins royale, à l'autre bout de la maison, ce qui facilitera les ébats des occupants de lits à deux places. On y montera la commode de Roselyne dont nous nous partagerons les tiroirs du haut, celui du bas étant réservé à un collier de coquillages sacré.

14

Fine

Parlons des fêtes.

Noël s'est passé comme d'hab : messe de minuit à vingt heures trente à l'église Saint-Léger où toute la famille, moins Monique, s'est retrouvée, alléluia !

Réveillon chacun chez soi, Nils avec nous. Ouverture des paquets au pied du sapin dès potron-minet.

À mes parents, j'ai offert un kit de parfumerie appelé « Nuits câlines », ils ont beaucoup ri. À Benjamin, un t-shirt de très mauvais goût, orné d'un doigt d'honneur, « honneur », mot usuel dans la famille. Nils a glissé à mon doigt un anneau avec une améthyste, en grec « qui protège de l'ivresse », dans notre langage intime « favorisant l'ivresse de l'amour ». J'ai fermé à son poignet une chaînette en métal avec nos noms gravés dessus.

À part ça, tous ces cadeaux de rien du tout, ces pacotilles qui, parfois, en disent bien plus long que les gros.

Le carnage du papier cadeau s'est poursuivi au château avant le déjeuner festin, concocté par Jeanne qui, bien sûr, avait mis son soulier lacé devant le sapin, un peu à l'écart, c'est sa discrétion. Monique n'est pas apparue, nous offrant le plus beau des présents : le silence dans sa chambre.

Pour décrire les innombrables cadeaux reçus par chacun, en y ajoutant les messages secrets, les intentions cachées, les clins d'œil, la malice, il faudrait tout un roman. Telle que je me connais, cela m'amènerait à des débordements, aussi m'abstiendrai-je.

Re-grande fête au château pour le 1er janvier, à midi, où cette fois Pierre et sa femme, ainsi que le colonel, avaient été conviés.

Grand-père leur a remis l'enveloppe rituelle, puis il s'est éclairci la voix et il leur a dit qu'ils avaient été épatants durant les épreuves traversées par la famille ces derniers temps. C'était terminé, vive la nouvelle année et merci !

Un silence embarrassé a suivi, les intéressés ne sachant pas sur quel pied danser, au courant des « épreuves traversées » sans en connaître le détail, ni par quelle grâce du ciel elles s'étaient brusquement terminées, un beau matin, avec l'arrêt des cris, pleurs et anathèmes, venant d'une chambre au château où séjournait, après son accident, Monique de Saint Junien.

Et là, une fois de plus, grand-mère nous a tous bluffés.

Elle s'est campée devant Pierre et le colonel, si jolie et si fragile avec son collier de perles, brillant du même éclat que ses courts cheveux blancs, si forte et si décidée.

« J'ai une mission importante à vous confier, leur

a-t-elle annoncé. Pierre et le colonel se sont aussitôt redressés. Pourriez-vous me trouver, pour remplacer l'épave de ma fille Monique et lui permettre de se rendre de nouveau aux Mésanges, une petite voiture solide, économique en énergie, pourquoi pas électrique ? J'aurai plaisir à m'en servir aussi, le plus tôt sera le mieux. »

Apparemment, grand-père apprenait la nouvelle. Il a été le premier à applaudir, puis on est passés au champagne.

*

J'ai rendu hier aux services sociaux de la mairie mon rapport de stage à la maternelle grande section, auprès de Paulin.

J'y dis l'importance, pour un aveugle, de la voix, bien sûr, distante ou chaleureuse, mais aussi du regard, positif ou fuyant, que Paulin sent si bien par tous les pores de sa peau. Je raconte son intelligence et ses progrès, et comment c'est son courage, sa joie de vivre, qui a ouvert les yeux des autres écoliers : « Allez, go ! »

Après, je commence à m'emballer : oui, j'ai bien dit « aveugle » ! Et si on arrêtait de biaiser avec les mots, de vouloir tout minimiser, aplanir : tous dans le même panier, traités à la même enseigne. Si on acceptait d'appeler un chat un chat, de nommer la différence. Cela permettrait peut-être d'apporter plus vite les bonnes réponses.

Puis je suis complètement sortie du sujet, une habitude, surtout quand il s'agit d'amour, demandez à Nils ! J'ai parlé de tous ces « bien voyants » qui vivent le regard scotché à un écran, leurs doigts surfant sur des images, des touches ou un clavier, oubliant un peu trop souvent de relever le nez pour regarder la vie, grandiose parfois, parfois glauque, ok, on retient le grandiose. De tous ces gens qui courent sans s'arrêter, se croisent sans se voir, se frôlent sans se toucher, alors qu'il suffirait de si peu, un instant, un arrêt, une parole, un sourire, pour que leur existence soit transformée.

De ce palpitement têtu, au fond de chacun de nous, impossible à faire taire, l'espoir ? qui nous répète que, quelque part, quelqu'un nous attend, avec qui le mot « nous » prendrait tout son sens. D'ailleurs la plupart des chansons le disent, et il est rare que les chansons, qui montent spontanément du cœur des hommes depuis le début des temps, partout sur la planète, se trompent.

Que tous les succès, toutes les réussites, les comptes en banque les mieux garnis, ne remplaceront jamais ce sentiment intense de plénitude, ce radieux et calme « enfin » que l'on éprouve dans les bras d'une âme sœur.

Et pourquoi ne parle-t-on que d'« eau de nuit », ces nuits sans sommeil à broyer des idées noires ? Pourquoi vous moquez-vous de l'« eau de rose » ? Mêlée à son petit lot d'épines, ce qui est bien naturel pour une fleur si prisée, elle existe. J'en suis témoin.

Ça va tanguer grave à la mairie !

15

Jeanne

Par la lucarne de son royaume, Jeanne regarde la vigne en dormance, où, très bientôt, les travailleurs de l'eau-de-vie débuteront la taille, élimineront les sarments les plus anciens pour permettre aux jeunes d'exprimer toute leur vigueur, aux bourgeons de la future récolte de s'y multiplier.

Elle regarde Fine et Nils qui rentrent, main dans la main, chez Mme Roselyne. Finalement, la photo du bonheur a joué son rôle, que font-ils d'autre sinon replanter sur du pardon ?

Il lui semble que le mot « mariage » a été prononcé. Dans son musée, elle pourrait bien ouvrir un de ces jours l'album trouvé dans son soulier à Noël.

Une Saint Junien épousant un Saint Junien, ça risque de faire du bruit, les mauvaises langues s'en donneront à cœur joie, c'est sûr. À cœur mauvais : le monde est ainsi. En attendant, la consigne a été donnée en haut lieu :

« Chut ! »

15

Jeanne

Par la fenêtre de son royaume, Jeanne regarde la [illegible] des [illegible] de l'eau qui [illegible] la salle [illegible] [illegible] [illegible] [illegible]

[illegible]

[illegible]

[illegible]

Elle [illegible]

Composition et mise en pages
Nord Compo à Villeneuve-d'Ascq

Imprimé en Espagne par
Blanck Print CPI Iberica
à Barcelone
en août 2014

POCKET – 12, avenue d'Italie – 75627 Paris cedex 13

Dépot légal : septembre 2014
S24444/01